QUESTION D'IDENTITÉ
de Gilles Duceppe
est le cent cinquante-deuxième ouvrage
publié chez
LANCTÔT ÉDITEUR.

QUESTION D'IDENTITÉ

DUCEPPE, Gilles

QUESTION D'IDENTITÉ

LANCTÔT
ÉDITEUR

LANCTÔT ÉDITEUR
1660A, avenue Ducharme
Outremont, Québec
H2V 1G7
Tél. : (514) 270.6303
Téléc. : (514) 273.9608
Adresse électronique : lanedit@total.net
Site Internet : www.lanctotediteur.qc.ca

Photo et maquette de la couverture :
Éléanor Le Gresley

Mise en pages :
Folio infographie

Distribution :
Prologue
Tél. : (450) 434.0306 / 1.800.363.2864
Téléc. : (450) 434.2627 / 1.800.361.8088

Distribution en Europe :
Librairie du Québec
30, rue Gay-Lussac
75005 Paris
France
Téléc. : 43.54.39.15

Nous remercions le Conseil des arts du Canada et le ministère du Patri-
moine canadien de l'aide accordée à notre programme de publication.
Nous remercions également la SODEC, du ministère de la Culture et des
Communications du Québec, de son soutien.

À ma conjointe Yolande, mes enfants Amélie
et Alexis ainsi qu'à ma mère Hélène,
qui m'ont toujours appuyé.

Remerciements

Merci à Patrice Dansereau, Patrick Émiroglou, Stéphane Gobeil, et Roch Michaud pour leur collaboration à la réalisation de ce livre, et à Pierre Paquette
et Pierre-Paul Roy pour leurs conseils et leur amitié.

Préface

*J*e n'ai jamais eu autant d'admiration et d'affection pour mon frère que lors de la campagne électorale de 1997. Il était épuisé, à bout de force, et pourtant il n'a pas abandonné. Il était tel un boxeur, au bord du K.O. fatal. Plusieurs à sa place auraient laissé tomber, mais pas lui. Tous les jours, je lui téléphonais pour le soutenir et l'encourager. À force de volonté, de courage et de ténacité, il a continué et il a eu raison. Et pour cela je l'admire.

Gilles, c'est un combattant, un fin négociateur doté d'une intelligence redoutable. Après dix ans de vie politique il est demeuré le même : un homme honnête et déterminé, un homme chaleureux et sensible, un homme vrai. Cet homme là, c'est mon frère et j'en suis fière.

Louise Duceppe

Préambule

TOUTE MA JEUNESSE a été marquée par la politique et les combats sociaux. À la maison, ça parlait sport... et politique. Très jeune, j'avais la permission de me coucher plus tard les soirs d'élections. Je me rappelle encore des victoires de John Diefenbaker, en 1957, de Maurice Duplessis, en 1956, et de Jean Drapeau... en 1954.

Mon père[1] était très impliqué en politique : aux élections de Drapeau (celles de 1954, justement), dans celle de René Lévesque avec les libéraux, puis avec le Parti québécois. Mon père a été aussi membre fondateur du NPD en 1962, et président de l'Union des artistes (UDA) durant la grève de 1959. Sans cesse, il s'est engagé dans les luttes syndicales et nationalistes.

Comment, dès lors, ne pas m'impliquer ? J'ai été actif dans le mouvement étudiant, les groupes communautaires, le syndicalisme, en politique municipale et provinciale. Comme plusieurs, j'ai fait l'«expérience» de l'extrême gauche et j'en suis ressorti déçu, un peu amer, mais pas découragé, car la politique

---

1. Jean Duceppe, homme de théâtre réputé, orateur et ardent nationaliste, fondateur du Théâtre Jean-Duceppe, décédé le 7 décembre 1990.

demeure pour moi le principal levier de changement social. Je ne dis pas cela pour écarter les autres avenues ; mais je suis convaincu que les progressistes ne doivent pas être absents du champ politique.

Oui, je veux que notre société soit meilleure et que le Québec devienne un pays. Toutes mes actions sont dirigées vers ces deux objectifs, y sont intimement liées. Mon parcours, depuis ces années de jeunesse où nous vivions en tribu (papa, maman, six frères et sœurs, les grands-parents maternels, un oncle et une tante, dans un « grand six »), jusqu'à aujourd'hui, a été tracé par le désir instinctif de me mêler aux débats publics. Aussi modeste que puisse être ma contribution, je demeure convaincu que, depuis qu'il existe, le Québec avance grâce à l'engagement politique de ses citoyens.

Ce livre fait le point sur dix ans de vie parlementaire : mon élection dans Laurier-Sainte-Marie, première présence d'un député et d'un parti souverainiste à Ottawa, a eu lieu le 13 août 1990. Pour bien faire comprendre l'action du Bloc, j'ai cru bon de faire un retour sur les causes qui ont présidé à la création de ce parti, redéfinir sa raison d'être, et y inscrire mon cheminement personnel. Bien sûr, le passé n'est pas toujours garant de l'avenir, mais il est souvent le repère essentiel pour tracer les grandes orientations futures.

GILLES DUCEPPE

Introduction

Vous avez dit démocratie?

LE 15 MARS 2000, 18 H 30. Tous les députés bloquistes se retrouvent dans l'antichambre des Communes. La plupart sont épuisés. L'émotion est palpable; la colère et la tristesse dominent. Certains pleurent, dont Francine Lalonde. J'improvise une tribune et un discours qui est plutôt des mots d'encouragement et des remerciements à l'endroit de mes collègues. Je veux qu'ils sachent que je suis fier d'eux, que les Québécois peuvent être fiers de ceux qui ont, encore une fois, défendu avec acharnement leurs valeurs et leurs intérêts.

La loi C-20, dite « Loi sur la clarté référendaire », vient d'être adoptée en troisième lecture par le Parlement canadien, après des semaines de discussions enflammées, menant parfois aux insultes, et plus de 1 200 amendements déposés par le Bloc. Au moment du vote final, nous restons debout. Les libéraux, eux, sont pour une fois réservés dans leur victoire. Aucune allégresse de leur part. La fatigue sans doute, mais peut-être aussi une certaine gêne, une certaine honte d'avaliser une loi dont les Québécois ne veulent pas et qui nient leurs aspirations légitimes.

Nous nous sommes battus contre « la loi la plus importante que le parlement canadien ait adoptée en 25 ans », selon Jean Chrétien. Une loi si importante que le gouvernement libéral a tout mis en œuvre pour bâillonner l'opposition et se soustraire à un véritable débat. Nous avons insisté sur le caractère antidémocratique de la loi C-20. Sous prétexte de se conformer à l'avis de la Cour suprême du Canada émis le 20 août 1998, la loi C-20 n'a en réalité qu'un seul but : empêcher le Québec de décider de son avenir et, notamment, d'établir un partenariat avec le reste du Canada. Ce faisant, la loi attaque les fondements mêmes des institutions démocratiques québécoises et remet en cause la règle universelle de la majorité absolue (50 % plus 1) au moment des consultations référendaires.

Jean Chrétien et Stéphane Dion veulent briser une règle largement acceptée par les acteurs politiques canadiens au cours des référendums de 1980 et de 1995 sur la souveraineté, et celui de 1992 sur l'Accord de Charlottetown ; une règle universellement acceptée qui, bien qu'elle s'applique, sous l'égide de l'ONU, au Timor Oriental, au Sahara occidental et ailleurs, ne s'appliquerait pas au Québec !

Dans un rare consensus, les trois partis à l'Assemblée nationale du Québec ont dénoncé ce coup de force, de même que la plupart des organismes de la société civile, dont Pro-Démocratie, un regroupement de souverainistes et de fédéralistes qui défendent le droit des Québécois à choisir librement leur avenir. Jean Chrétien a fait la sourde oreille. Il en paiera bientôt le prix. Les libéraux de Pierre Elliott Trudeau avaient été pratiquement rayés de la carte au Québec aux élections fédérales de 1984 qui ont suivi le rapatriement unilatéral de la Constitution en 1982...

La loi C-20 montre une fois de plus à quel point la présence de notre parti à Ottawa est cruciale. Le Bloc donne une voix aux Québécois dans cette enceinte où les Jean Chrétien, Stéphane Dion et consorts sont obsédés par l'idée de «remettre le Québec à sa place».

Depuis la création du Bloc, il y a maintenant bientôt dix ans, nous avons représenté le Québec en ayant toujours à l'esprit la défense de ses intérêts, la promotion de l'idéal souverainiste, le rayonnement du Québec dans le monde, et l'établissement de ponts avec le Canada. Ces principes ont guidé notre action dans tous les dossiers où nous sommes intervenus : celui de la souveraineté, bien sûr, mais aussi l'assurance-emploi, la formation de la main-d'œuvre, le développement des régions, les francophones hors Québec, la question autochtone, la légitimité politique des instances québécoises et, dans le dossier référendaire, le respect de la démocratie.

Le Bloc a aussi démontré sa capacité à défendre des dossiers à l'échelle canadienne et internationale. Je pense à la Loi sur les jeunes contrevenants, à la lutte à la pauvreté, aux organismes génétiquement modifiés (OGM), à la mondialisation et à la perte de pouvoir des parlementaires qui en découle, aux traités commerciaux continentaux, etc. Sa contribution à l'enrichissement des débats parlementaires a été maintes fois soulignée, parfois même par nos adversaires...

Cela étant, le combat du Bloc Québécois se poursuit !

Première partie

CHAPITRE PREMIER

Le saut en politique

Répondre à l'appel

MARDI, 22 MAI 1990. Depuis plusieurs jours, je travaille ferme pour obtenir une nouvelle entente dans le secteur de l'hôtellerie. C'est la deuxième ronde intensive et tout le monde joue serré. Mon travail de négociateur syndical à la CSN mobilise toute mon énergie.

Dans les médias, l'interminable saga de l'Accord du lac Meech[1] se poursuit. Trois provinces sur dix y sont maintenant ouvertement opposées. Brian Mulroney vient d'annoncer la création d'une commission d'étude menée par Jean Charest pour revoir les termes

---

1. Réunis au lac Meech en avril 1987, le premier ministre du Québec, Robert Bourassa, et les neuf premiers ministres des provinces ainsi que le premier ministre du Canada, Brian Mulroney, s'entendent sur un accord qui vise la réintégration du Québec dans la Constitution. Les cinq demandes sont les suivantes : reconnaissance de la société distincte, droit de veto, nomination de trois juges québécois à la Cour suprême à partir d'une liste de recommandations de Québec, droit de retrait des futurs programmes fédéraux, pouvoirs partagés en immigration. Les provinces ont un délai de trois ans pour faire ratifier l'entente par leur assemblée législative ; le Québec, par son Assemblée nationale.

de Meech. Tous craignent que l'accord soit fortement dilué.

Un collègue me lance : « Viens écouter la radio, c'est Lucien Bouchard. » Je connais peu ce ministre fédéral de l'Environnement, mais le ton de son discours de démission du Parti conservateur à la Chambre des communes me séduit autant que ses convictions m'impressionnent :

[Meech a] tracé la limite extrême des concessions [du Québec] à l'endroit même où la fierté perd son nom. Voilà pourquoi toute demande de concession additionnelle est une insulte à son sens de l'honneur. [...]

Je demande [au premier ministre du Québec, Robert Bourassa] instamment d'épargner aux Québécois un autre camouflet, une autre atteinte à leur fierté, un autre ostracisme [...].

Ça y est. La démission de Bouchard signe l'impasse absolue dans laquelle le Canada et le Québec sont enlisés. J'appréhendais cet échec : dans les mois qui ont suivi l'entente de principe des 11 premiers ministres, en 1987, j'ai rédigé de longs passages du Rapport moral de la Fédération du commerce (CSN) en évoquant une possible impasse constitutionnelle. Comme Bouchard, j'ai la conviction qu'il faut réagir.

□

Le vendredi suivant, mon vieil ami, Pierre-Paul Roy, de passage à Montréal, vient souper à la maison. Nous nous connaissons depuis 1967, alors que nous étions tous deux membres de l'Union générale des étudiants du Québec (UGEQ). Nos chemins n'ont cessé de

se croiser depuis, dans des organismes communautaires et des groupes de gauche, puis au Parti Québécois (lors de l'élection de 1970) et à la CSN. Mon amitié
pour Pierre-Paul est indéfectible; il est un complice
politique, un intellectuel engagé doublé d'un homme
d'action.

Bien entendu, la démission de Bouchard est au
cœur de nos échanges. À ma femme Yolande et à lui, je
confie que je viens de découvrir un homme politique
au discours franc et clair. De fil en aiguille, nous abordons le sujet de l'élection partielle qui vient d'être
annoncée dans la circonscription de Laurier-Sainte-
Marie:

— Pas question de laisser faire les libéraux! Le
comté leur est grand ouvert: les électeurs ne voteront
pas pour les conservateurs après l'affront de Meech,
et les néo-démocrates ne possèdent pas d'assises
sérieuses...

— C'est vrai, Gilles. Si on ne réagit pas, Jean Chrétien, ce grand fossoyeur de Meech, aura la victoire
facile. Idéalement, il faudrait présenter un souverainiste, un candidat de Bouchard dans Laurier-Sainte-
Marie!

La discussion s'emballe, ma conviction grandit.
Nous évoquons nos luttes communes depuis les
débuts, alors que la tentation d'investir toute notre
énergie dans l'arène politique était forte. Cependant,
en 1970, après les élections, Pierre-Paul et moi (comme
bien d'autres) avions choisi l'action communautaire.
C'est en nous rappelant ce tournant dans notre vie que
je questionne mon vieil ami:

— Tu ne crois pas que le temps est venu de nous
impliquer en politique?

— Tu as raison. On est rendus là.

— Et si je me présentais comme candidat?

— Toi? Dans Laurier-Sainte-Marie?

— J'en ai déjà parlé à Yolande, elle est d'accord. Je connais bien le comté, j'ai été élevé dans l'est de Montréal, j'y élève mes enfants, j'y habite toujours. Je le connais comme le fond de ma poche.

— Es-tu sûr que c'est le bon tremplin pour faire le saut? Lucien Bouchard n'a ni parti ni organisation. Et on ne sait même pas ce qu'il veut faire, lui! Être élu dans le comté, ce n'est pas tout: qu'est-ce qui arrive ensuite?

— Ensuite? L'appui à la souveraineté est à 70% dans les sondages. La question est politique, la logistique suivra. Je ne dois pas être le seul à être sensible au discours de Lucien Bouchard. Et je suis convaincu qu'un candidat souverainiste peut être élu dans le Centre-Sud de Montréal.

— Les souverainistes n'ont pas d'avenir à Ottawa. C'est à Québec que ça se passe, tu le sais, Gilles…

— Il ne faut plus jamais laisser un autre Trudeau s'appuyer sur des députés élus par les Québécois à Ottawa pour justifier des coups de force comme le rapatriement unilatéral de la Constitution en 1982. Nous devons livrer notre message au Canada: Meech démontre que toute tentative de renouvellement du fédéralisme canadien est vouée à l'échec. La solution, c'est la souveraineté du Québec. Le Canada aussi doit s'y préparer.

Je viens de convaincre Yolande et Pierre-Paul. C'est un début!

Ma confiance en Lucien Bouchard repose autant sur une intuition politique que sur une analyse objective. Les événements des jours suivants prouveront qu'elle était fondée. Le 23 mai, la chaleureuse ovation réservée au ministre démissionnaire par la jeune Chambre de commerce de Montréal indique qu'un large consensus se crée dans la société québécoise. La mort de Meech marque la fin des sempiternelles palabres sur le renouvellement du fédéralisme. Des perspectives historiques inédites s'ouvrent enfin.

Au moment de nous quitter, je demande à Pierre-Paul de joindre notre bon ami Bob Dufour, devenu un organisateur politique reconnu au Parti québécois, et de voir s'il peut nous aider. J'ai connu Bob à l'UGEQ en même temps que Pierre-Paul, et je sais que je peux compter sur lui : c'est un ami sûr et un stratège à l'intelligence pratique, redoutablement efficace ; l'homme qu'il faut pour s'occuper de ma campagne !

Sceptique sur mes chances de constituer rapidement une organisation solide et crédible, Pierre-Paul partage néanmoins mon analyse politique de la situation et accepte de prolonger son séjour à Montréal et de contacter Bob.

Je replonge dans mes négociations syndicales.

☐

La ronde infernale des négociations reprend. Je travaille sans cesse, nuit et jour, avec la volonté d'obtenir une bonne convention collective pour les syndiqués du secteur de l'hôtellerie. Je coordonne les négociations qui se déroulent dans une vingtaine d'hôtels de la région de Montréal. Nous avons axé notre campagne d'opinion sur le professionnalisme des syndiqués, symbolisé par une épinglette présentant cinq étoiles, un peu à l'image de la classification des guides Michelin. Le procédé a créé une réelle solidarité parmi les travailleurs. Les syndicats ont une liste commune de revendications, mais chaque syndicat a sa propre table de négociation. Je suis donc au centre d'une circulation intense d'informations et de possibilités. Il faut rapidement prendre des décisions.

J'aime l'intensité de ces moments. J'en suis à ma cinquième année à la CSN à titre de négociateur, mais quelque chose me dit que cette négociation sera la dernière; l'heure est venue pour moi de passer à autre chose. Je ressens l'urgence d'affronter de nouveaux défis.

Peu de temps auparavant, j'avais activement participé à la campagne de Monique Simard et de Pierre Paquette pour qu'ils soient élus à l'exécutif de la CSN. Le soir de leur triomphe, je me joins tardivement à la fête car mon fils Alexis se produisait en concert à l'École Le Plateau. Je me suis toujours fait un point d'honneur d'assister aux spectacles auxquels participent mes enfants.

Après la fête à la CSN, je marche seul, ce que je fais souvent avant de prendre des décisions importantes. Il pleut cette nuit-là. Qu'importe si je n'ai pas de parapluie et si je suis en négociation tôt le lendemain: j'ai besoin de réfléchir. L'image de mon père s'impose à moi. Je sais que la maladie peut bientôt l'emporter. Depuis plus d'un an, les effets du diabète ont fait des ravages importants. Je me rappelle chacune des fois où nous avons évoqué ensemble, souvent par de simples sous-entendus, la possibilité que je fasse de la politique active. Je sais désormais que si je dois entrer dans l'arène politique, je voudrais faire le saut avant qu'il ne nous quitte.

L'annonce de ma décision

Les jours suivants, je fais part de ma décision à Jacques Lessard et à Carl Masson, avec qui je mène les négociations dans l'hôtellerie. Je leur promets de terminer d'abord la ronde en cours avant d'annoncer quoi que ce soit et leur demande de garder le secret. Si bien que lorsque Pierre Paquette me demande mon avis au sujet de la candidature de Pierre Bourgault dans Laurier-Sainte-Marie, je ne révèle rien de mes intentions.

Le 24 juin 1990, la traditionnelle marche de la Saint-Jean traverse ce qui sera bientôt ma circonscription électorale. Pour moi, c'est un heureux présage. Plus d'un demi million de Québécois manifestent leur fierté. Au lendemain du «décès officiel» de Meech, cette marche prend un sens tout particulier. Mon père, en qualité de président d'honneur des fêtes, doit prononcer le discours de clôture du défilé. Auparavant, il a invité tous les Québécois à la fête en leur disant que «ce n'est plus l'heure de regarder passer la parade». En voyant plus de 200 000 drapeaux aux couleurs du Québec s'agiter, on sent que la nation québécoise se lève. Des milliers de pancartes disent *Mon vrai pays, c'est le Québec*. La réponse à l'affront de Meech.

Nous accompagnons mon père, qui a la vue très diminuée et la santé chancelante, à l'île Sainte-Hélène où il doit prononcer un discours au début du spectacle intitulé *Aux portes du pays*. C'est le miracle des planches. Mon père livre un discours profondément émouvant avec toute l'assurance dont il est capable, un discours dont nombre de Québécoise souviennent encore. J'ai ce texte chez moi, bien encadré dans mon salon...

Mes chers amis,

À mesure que les jours et les semaines passent, une évidence s'impose de plus en plus à nos esprits avec une clarté magnifique : le Québec est notre seul pays, le seul endroit au monde où nous pouvons travailler ensemble à notre bonheur collectif dans la paix et l'harmonie, loin des compromis mesquins et des ententes conclues dans le secret et la confusion.

Ce Québec, ce pays à faire rêver, je l'aime de tout mon cœur et depuis longtemps, et vous tous aussi, je sais que vous l'aimez ; il faut maintenant travailler tous très fort pour qu'il assume son destin dans la liberté.

Une chose est certaine, à compter de maintenant, l'avenir du Québec ne se décidera plus à Terre-Neuve, au Manitoba ou ailleurs, mais au Québec, par les Québécois et les Québécoises.

□

Le lendemain, entre deux sessions intensives de négociations, je décide de retourner chez moi pour piquer un petit somme — je viens de travailler une vingtaine d'heures consécutives —, mais je n'arrive pas à m'endormir. Je décide donc de « couper » le gazon, mais c'est un orteil que je me coupe. Je continue les négociations avec un pied blessé, par téléphone, depuis la salle d'urgence.

Rien n'a encore filtré de mes intentions politiques. Les rumeurs sont nombreuses, des noms de candidats circulent : Mathias Rioux, Guy Bisaillon, Denise Leblanc-Bantey et Marcel Léger. Pendant ce temps, François Gérin, de Mégantic-Compton, premier député conservateur démissionnaire, assure que le groupe de députés qui a rejoint Lucien Bouchard est toujours « en réflexion » sur la possibilité de présenter ou non un candidat.

Avant même qu'une décision ne soit annoncée, le Mouvement souverainiste du Québec (MSQ) annonce qu'il met à la disposition du groupe de Lucien Bouchard une salle où tenir une assemblée déjà prévue le 11 juillet, à l'église Saint-Louis-de-Gonzague. L'organisation a été confiée aux frères Saint-Louis qui sont, selon l'expression consacrée, tombés dans la marmite politique quand ils étaient tout jeunes.

Le vendredi 6 juillet, après plus de cinquante heures de négociations ininterrompues, je reçois un appel de Benoît Tremblay, député de Rosemont et ancien conseiller municipal du RCM[2], avec qui j'ai travaillé en 1986 au cours des élections municipales de Montréal. Ancien député conservateur, Tremblay vient de se joindre aux indépendants, derrière Lucien Bouchard, qui forment désormais la Bande des six[3].

C'est le signal que j'attendais. Quelques jours auparavant, j'ai appelé Danielle Raigner, l'adjointe de Benoît Tremblay, pour lui faire part de mon intention de poser ma candidature dans Laurier-Sainte-Marie. Quand Benoît Tremblay me rappelle, c'est pour me

---

2. Rassemblement des citoyennes et des citoyens de Montréal dont le chef était Jean Doré. ·
3. La Bande des six était formée des députés conservateurs suivants : Lucien Bouchard, François Gérin, Nic LeBlanc, Gilbert Chartrand, Louis Plamondon et Benoît Tremblay. À eux devaient se joindre bientôt Jean Lapierre et Gilles Rocheleau, deux anciens libéraux fédéraux, qui avaient réagi à l'élection de Jean Chrétien, à titre de chef du Parti libéral du Canada, le 23 juin, jour de la mort officielle de l'Accord du lac Meech. La députée conservatrice, Pierrette Venne, démissionnera de son parti en août 1991 pour se joindre au Bloc Québécois, après le refus du congrès du Parti conservateur d'adopter sa proposition de diviser le Canada en cinq régions.

demander de venir rencontrer Lucien Bouchard à son quartier général établi à l'Hôtel Reine-Élizabeth à Montréal. Sa chambre lui tient lieu de résidence et de bureau, et j'y trouve une ambiance familiale. Audrey, sa femme, est toute occupée aux soins de leur jeune enfant. L'atmosphère invite à la détente, mais mon téléavertisseur ne cesse de sonner — les négociations continuent! Bouchard, prenant sa femme à partie, dit reconnaître le travail du négociateur qu'il a déjà été... pour la partie patronale. Loin de s'en offusquer, ces interruptions le font sourire. La situation crée une sympathie immédiate entre nous.

Je lui fais part de mes intentions sur le plan politique tout en précisant qu'il me faut d'abord conclure les négociations en cours. Bouchard me rappelle que c'est le 11 juillet — dans quelques jours — qu'il doit présenter son candidat. Je lui affirme que je suis proche d'une entente et je lui demande de me faire confiance: «Je ne crois pas que vous aimeriez travailler avec quelqu'un qui ne termine pas ses mandats!»

Il comprend ma position et joue franc-jeu avec moi: il accueille ma candidature favorablement, mais veut tout de même poursuivre les consultations:

— Si ça ne vous gêne pas, j'aimerais obtenir un avis sur votre candidature. Je voudrais consulter un organisateur politique du Centre-Sud: Bob Dufour.

— Aucun problème!

De retour à la maison, Yolande m'accueille — ou plutôt me recueille — et me fait comprendre que je dois «décrocher»: je suis debout depuis 60 heures. Je n'ai pas la force de la contredire, même si le téléphone continue de sonner.

Après une bonne nuit de sommeil, j'appelle Gérald Larose pour lui faire part de ma rencontre avec

Bouchard. Le président de la CSN n'aura que des éloges pour moi, qui seront répétées par les médias lorsque les rumeurs de ma candidature feront surface. À mon tour, je veux souligner ici les grandes qualités humaines et professionnelles de Gérald Larose. Avec lui, le mouvement syndical a su relever de nouveaux défis et contribuer activement à l'évolution de la société québécoise. On se souviendra longtemps de sa participation à la commission Bélanger-Campeau, où il se sera révélé de façon spectaculaire.

Les dés sont jetés. Il me faut maintenant annoncer la nouvelle. Les premières rumeurs ne tardent pas à se faire entendre : on me présente tantôt comme « le fils du comédien Jean Duceppe », tantôt comme « un négociateur syndical ». Le 9 juillet, après des coups de téléphone répétés de Lucien Bouchard, je peux, au milieu de l'après-midi, lui annoncer la fin des négociations. Je suis enfin disponible.

□

Avec le recul, je repense à ces moments avec beaucoup de bonheur et, en toute modestie, avec une certaine fierté. En respectant mon obligation de bien négocier — jusqu'au bout — ma dernière entente, je savais que je faisais d'abord ce que me dictait ma propre conscience. Au pire, la satisfaction du travail accompli primerait sur la déception d'avoir laissé passer ma chance ! Des années plus tard, cette satisfaction demeure : l'entente née de ma dernière négociation est considérée comme l'une des meilleures du secteur de l'hôtellerie.

Le ring politique

Quand j'annonce à Yolande que ma candidature est désormais officielle, elle est prête. Elle m'appuie depuis le début. Militante de la première heure, Yolande voit mon engagement politique comme une suite normale de mes années de militantisme, un changement nécessaire, et non une rupture.

Dans les jours qui précèdent l'assemblée d'investiture, je me rends chez mes parents pour leur annoncer ma décision. La première réaction de mon père est négative. Il soulève les mêmes critiques que Pierre-Paul : nous n'avons ni parti ni organisation, c'est à Québec que les vraies décisions se prennent, et ainsi de suite. Je tente de le convaincre, mais sans succès. Il me rappellera plus tard, pour me dire qu'il comprend mon choix et qu'il se fie à mon jugement. Pourtant, je peux encore entendre dans sa voix une pointe d'inquiétude qui trahit sa volonté de me protéger. Il a connu tant d'agitation dans sa vie professionnelle — un soir on apprenait qu'il ne travaillait plus pour la station de radio qui l'employait et le lendemain, on l'entendait sur les ondes d'une radio concurrente — qu'il veut me prévenir d'une aventure qu'il juge risquée. Ses mises en garde sont autant de marques d'affection que je ressens aujourd'hui avec toute la nostalgie créée par son absence. Ma mère, de son côté, est certes un peu hésitante, mais nettement plus enthousiaste! Elle dira alors à papa : « Sois pas surpris qu'il décide de faire de la politique, avec l'exemple que tu lui as donné ! »

L'annonce publique a lieu le mercredi 11 juillet. Le nom de « Bloc Québécois » circule déjà dans les médias.

J'opte pour ce nom. Bouchard acquiesce. Nous partons en campagne électorale sous cette nouvelle bannière.

□

Mercredi 11 juillet, le soir. Le sous-sol de l'église Saint-Louis-de-Gonzague est bondé — on compte plus de 800 personnes —, la chaleur est intense et l'enthousiasme, palpable. Plus tôt, la nouvelle de ma candidature s'est répandue, la presse ayant fait état de mes premiers appuis, dont celui de la CSN. Gérald Larose me présente comme «un homme de convictions» et vante mes talents de négociateur tout en invitant les militants de la Centrale à «souscrire à la cause de Gilles Duceppe». À l'assemblée, les appuis ne manquent pas: parmi la foule compacte, les premiers députés démissionnaires membres du Bloc sont tous présents. On retrouve aussi des gens du PQ, Bernard Landry, André Boulerice et Michel Bourdon, ainsi que le conseiller du RCM, Serge Lajeunesse. Lucien Bouchard prend la parole et rappelle que «nous sommes ici ce soir pour parler de souveraineté, pour déterminer l'amorce du chemin qui va nous y conduire...»

Quand je prends la parole à mon tour, j'exprime mes convictions sociales-démocrates et mon attachement à Laurier-Sainte-Marie. La circonscription est limitrophe à Hochelaga-Maisonneuve où j'ai passé toute ma vie. J'ajoute qu'un vrai souverainiste à Ottawa «doit se présenter avec le Bloc Québécois dirigé par Lucien Bouchard», pour souligner qu'il ne suffit pas d'afficher des couleurs souverainistes pour défendre les intérêts du Québec. Cette précision s'impose: l'échec de Meech a engendré une vague nationaliste à l'intérieur des vieux partis. Je demande:

« Va-t-on laisser les fédéralistes parler en notre nom ? »
Car la situation a de quoi surprendre : de tous les
candidats dans Laurier-Sainte-Marie, un seul n'est pas
en faveur de la souveraineté ! C'est le libéral Denis
Coderre. Peu après, celui-ci échappera d'ailleurs l'une
de ses nombreuses perles : « La souveraineté, ça ne
guérit pas le sida… » (!)

Le soir même, en arrivant à la maison, j'apprends
que mon père a été victime d'un malaise cardiaque
pendant une excursion de pêche au Lac-Saint-Jean. Il
était parti avec mes trois frères, Claude, Pierre et Yves.
Claude a dû lui faire des manœuvres de réanimation
pendant qu'on allait chercher de l'aide. Finalement, il
a été hospitalisé à l'hôpital de Chicoutimi. Son état est
stable. Je suis rassuré.

Ironie du sort, le lendemain, lui et moi partageons
la une du *Devoir* ; lui, à cause de son état de santé ; moi,
de ma candidature. Dans la semaine qui suit, Lucien
Bouchard et moi lui rendons visite à l'Hôpital Saint-
Luc où il a été transféré. Les deux hommes parlent
théâtre. Mon père lui raconte une anecdote survenue
dans le village natal de Lucien Bouchard, Saint-Cœur-
de-Marie au Lac-Saint-Jean : un soir qu'il devait jouer
dans la salle paroissiale du village, mon père s'inquiète
à plusieurs reprises de l'absence de chaises. Le curé se
fait rassurant et lui dit de ne pas s'en faire. Quelques
minutes avant le début de la représentation, toujours
pas de chaises… Le calme du curé l'exaspère. Enfin, le
rideau se lève. S'attendant au pire, mon père con-
temple alors une salle pleine de gens et pleine de
chaises, chacun ayant apporté la sienne ! Mon père et
Lucien Bouchard ont bien ri de la malice du curé.

Le lendemain de l'assemblée du 11 juillet, la fête est
terminée et le vrai travail commence. Or l'échi-

quier politique connaît un bouleversement sans précédent.

Au lendemain de la mort clinique de l'Accord du lac Meech, enterré à la fois au Manitoba et à Terre-Neuve, Robert Bourassa a soulevé une rare unanimité au Québec, se ralliant même Jacques Parizeau, en déclarant que « quoi qu'on dise et quoi qu'on fasse, le Québec est, aujourd'hui et pour toujours, une société distincte, libre et capable d'assumer son destin et son développement ». Ces paroles empreintes de solennité ont rejoint les Québécois au cœur de leur fierté. Nous sommes nombreux, ce jour-là, à croire que Robert Bourassa pourrait être celui qui réalisera le rêve de tant de Québécois. À espérer, malgré ce que l'on sait de l'homme politique, qu'il saisira l'occasion... Nous ne serons pas moins nombreux à nous sentir floués devant son pathétique écrasement à Charlottetown !

Désormais, il n'est plus question de négocier à onze, mais bien à deux.

Par ailleurs, l'élection de Jean Chrétien à la tête du Parti libéral du Canada précipite la venue au Bloc de son député de Shefford, Jean Lapierre, et plus tard du député de Hull-Aylmer, Gilles Rocheleau, entraînant aussi l'appui des jeunes libéraux fédéraux[4] à ma candidature. Doit-on s'étonner de voir figurer au nombre des appuis que je reçois celui de Jacques Chagnon, député libéral de Saint-Louis à l'Assemblée nationale ? À coup sûr, tout cela indique que la donne a changé.

Je suis donc candidat du Bloc Québécois, le premier à briguer une élection sous cette bannière[5]. Qui

---

4. À leur tête se retrouvait le jeune Jean-François Simard, aujourd'hui député péquiste de Beauport-Montmorency.
5. En fait, le Bloc Québécois n'étant pas un parti officiel, j'étais un candidat dit indépendant.

dit candidat, dit organisation, bureau, secrétariat, affiches, dépliants, financement, etc. Le lendemain matin, nous nous retrouvons, Pierre-Paul Roy, Bob Dufour et moi, à la Brasserie Sainte-Marie dont Bob est propriétaire, rue Ontario. Nos premiers bureaux sont constitués de deux tables collées l'une contre l'autre près du téléphone public. Nous nous sommes munis de rouleaux de pièces de 25 cents. Nous sommes prêts à « opérer »... Débuts bien modestes, mais qui témoignent de notre conviction. Premier objectif : trouver du renfort !

Très vite, nous constituons une équipe. Pour élaborer le programme politique, Pierre-Paul réunit Pierre Paquette et Pierre Bonnet de la CSN, et Louise Paiement, ma première épouse[6]. Se joignent également au groupe Benoît Tremblay, député de Rosemont, et Jean-Ann Bouchard[7], qui travaillera comme attachée de presse durant les premières semaines de la campagne. Pour prendre sa relève, Carole Lavallée[8], directrice des communications au PQ, sacrifiera ses vacances et s'occupera en plus des communications et de la campagne publicitaire. Ma sœur Monique prendra aussi ses vacances pour me servir de chauffeur.

François Leblanc[9] est également libéré par le PQ pour coordonner la campagne sur le terrain. Il se

---

6. Louise et moi étions divorcés depuis une quinzaine d'années. Elle était alors présidente de la Corporation de développement économique et communautaire du Centre-Sud.

7. Responsable des communications lors de ma première ronde de négociations dans l'hôtellerie avec la CSN.

8. Carole Lavallée a ensuite fait les campagnes publicitaires électorales du Bloc en 1993 et en 1997. Elle est aujourd'hui conseillère spéciale à mon cabinet.

9. François Leblanc a été l'un des principaux conseillers de Lucien Bouchard, aussi bien lorsqu'il était chef du Bloc Québécois que lorsqu'il a été premier ministre.

révèle un atout précieux : talentueux et efficace, brillant et fin stratège, François occupera plus tard le poste de coordonnateur du Mouvement Québec. Il est aujourd'hui mon chef de cabinet.

Normand Brouillette, de la CSN, nous donne un sérieux coup de main. Bob Dufour lève une armée de partisans pour l'organisation, dont Pierre Morabito, Jacques Saint-Louis, Bob Ledoux, François Reeves, Richard Filiatrault, Louis-Philippe Bourgeois[10]. Un jeune de 20 ans, Bernard Bigras, promet beaucoup ; il est aujourd'hui député du Bloc Québécois de Rosemont et président du caucus.

À cette liste s'ajoutent des centaines d'autres noms, dont ceux des membres de l'organisation d'André Boulerice, député de Sainte-Marie-Saint-Jacques. Notre équipe compte déjà sur l'appui de plusieurs centaines de partisans. L'enthousiasme est palpable. On sent que l'enjeu va bien au-delà de l'élection partielle.

Une semaine à peine vient de s'écouler que déjà nous sortons le programme politique, les affiches sont prêtes et l'affichage commence ! Deux mille panneaux publicitaires sont installés sur des balcons le temps de le dire : un bel exemple de rapidité et d'efficacité, même sans moyens financiers. Les premiers jours où nous sommes dans de vrais locaux, au-dessus de la brasserie de Bob, il y a un téléphone posé sur le sol, un bureau, mais pas encore de chaises. Tout reste à faire. Mais l'une des rares choses que nous avons à profusion, c'est de l'enthousiasme.

Notre travail ne tarde pas à porter fruit : outre les appuis déjà mentionnés de la CSN, du député Cha-

---

10. Louis-Philippe Bourgeois est aujourd'hui directeur adjoint du Bloc Québécois.

gnon et du conseiller Lajeunesse, l'appui du NPD-Québec par la voix de son chef, Michel Parenteau, n'est pas le moins surprenant. De jour en jour, la liste ne cesse de s'allonger. Raymond Blain, André Cardinal, Konstantinos Georgoulis, Manon Forget, tous conseillers au RCM, ainsi que Robert Perreault, vice-président du comité exécutif de la Ville de Montréal, soutiennent ma candidature. Bernard Landry m'offre officiellement l'appui du PQ, une première dans des élections fédérales!

La coalition «arc-en-ciel» de Lucien Bouchard se réalise à travers les appuis que je reçois, sans cesse plus nombreux et plus diversifiés. Au cours d'une des grandes assemblées tenues à l'auditorium de la polyvalente Pierre-Dupuy, on peut voir sur scène Bernard Landry et quelques députés péquistes, Fernand Daoust de la FTQ, Pierre Paquette de la CSN, Raymond Johnston de la CEQ, des conseillers du RCM, et nombre d'artistes : Jean Besré, Louise Turcot, Luc Plamondon, Michel Tremblay, Benoît Girard, Yves Desgagné, Gilles Renaud, Amulette Garneau, Mia Ridez et j'en oublie... On lit à cette occasion une déclaration de Serge Turgeon, président de l'UDA.

Un peu avant l'élection, Réjean Robidoux, candidat indépendant et souverainiste, se désiste en ma faveur[11]. Pour la première fois, les sondages me donnent gagnant : je profite de cette gigantesque vague souverainiste qui déferle sur le Québec et du désir des Québécois d'envoyer un message clair à Ottawa...

Rétrospectivement, je réalise à quel point il me fallait être puissamment porté par cette vague. La

---

11. Comme il s'est désisté trop tard, il a quand même obtenu quelques voix.

nécessité de faire front commun sur des questions fondamentales — et la question de l'identité constituait comme toujours l'essence même du questionnement — devait l'emporter sur toute position idéologique. Il fallait bâtir un front uni débordant ma propre vision politique; c'est ce que Bouchard m'invitait à faire en m'acceptant dans son équipe. La barre était haute: négociateur syndical, je me joignais à un négociateur patronal, ancien conservateur de surcroît!

Quand la question nationale est au centre des débats, la division classique droite-gauche s'estompe, sans disparaître pour autant. Cela se vérifie périodiquement dans l'histoire de nos démocraties et cela se vérifie encore presque tous les jours à la Chambre des communes, à Ottawa. Quand on y débat d'unité canadienne, le NPD, les libéraux, les conservateurs et l'Alliance canadienne parlent le même langage. Pour prendre un exemple récent, ces fédéralistes voyaient en Jean Charest le nouveau «sauveur» du Canada lorsque celui-ci a annoncé son départ pour le Parti libéral du Québec...

Mes adversaires font campagne depuis plusieurs semaines déjà. Christian Fortin, candidat conservateur, et Louise O'Neill, candidate néo-démocrate (qui se joindra au Bloc quelques semaines plus tard) se sont déjà prononcés en faveur de la souveraineté, tandis que Denis Coderre du Parti libéral, fédéraliste converti à la vision politique de Jean Chrétien, se présente — de façon opportuniste, les électeurs ne s'y trompent pas — comme l'héritier de Jean-Claude Malépart, le populaire député décédé un an auparavant.

Les libéraux ne négligent rien pour me nuire: lorsque je m'inscris sur la liste électorale, ils contestent mon patronyme! Peu de gens savent en effet que mon nom de baptême est Hotte-Duceppe : mon père était le dix-huitième enfant de la famille Hotte, et ses parents sont morts quand il était encore jeune. Ayant vécu avec sa sœur aînée, mariée et devenue Duceppe, mon père a donc porté le nom de Jean Hotte-Duceppe. Je fus à mon tour baptisé Gilles Hotte-Duceppe et, à l'instar de mon père, c'est *Duceppe* qui s'est imposé. En renouvelant mon passeport, j'avais fait disparaître le nom de Hotte et je peux m'identifier légalement sous le nom de Gilles Duceppe. Personne ne peut contester mon identité !

L'élection aura lieu le 13 août. Les préparatifs vont bon train et la confiance règne. Le 25 juillet, Bouchard définit la mission du Bloc : un groupe parlementaire (ce n'est pas encore, légalement, un parti) dont le premier mandat est de défendre les intérêts du Québec. Jean Lapierre, député démissionnaire du 23 juin, annonce qu'il se joint au Bloc.

La veille du scrutin, le dimanche 12 août, ma fille Amélie fête ses 16 ans. C'est aussi l'Assomption et la fête de la Vierge noire, que les Portugais de la ville célèbrent par une grande procession. Cette année-là, les organisateurs de la fête demandent aux candidats à l'élection et aux principaux représentants des partis de se joindre au défilé. Quand on me demande de me placer au premier rang, je sens qu'il se produit quelque chose d'important : une nouvelle sensibilité émerge au sein d'une collectivité réticente à la souveraineté.

Les sondages nous sont très favorables. Trop, pensent certains. Les appuis dépassent 60 % et plusieurs croient qu'au moment du vote ils vont chuter. Cette conviction n'est pas partagée par tous. Le député d'Outremont, Jean-Pierre Hogue, me confie qu'au

Parti conservateur on prend des gageures : leur candidat remportera-t-il plus de 10 % des votes ?

Aujourd'hui encore, de tous les souvenirs liés à cette époque, je garde, très vif, celui d'un jeune de 20 ans, visiblement très doué, que nous rencontrons Yolande et moi le samedi précédant l'élection, alors que nous faisions du porte-à-porte. Chômeur, vivant dans un appartement très modeste, il s'entretient avec nous des espoirs qu'il met dans un Québec souverain et de la place que la société doit réserver aux jeunes. En sortant de chez lui, Yolande et moi sommes très émus. L'injustice du berceau, voilà à quoi se résume sa situation. Cette rencontre me permet de préciser clairement le sens de ma démarche dans le mouvement souverainiste : le jour où je deviendrai insensible à de telles situations, je n'aurai plus de raison de faire de la politique. Il ne faut jamais baisser les bras devant ce que l'on juge inacceptable.

□

Le jour « J ». Près de 67 % des électeurs choisissent le Bloc. La victoire dépasse nos espérances. Elle constitue un signal sans équivoque aux fédéralistes : plus jamais Meech. Ce grand succès, nous le devons au travail inlassable de toute une organisation qui n'a ménagé ni ses efforts ni son dévouement. Des centaines de personnes ont travaillé bénévolement à cette élection. J'espère qu'elles se reconnaissent et qu'elles acceptent l'expression de ma gratitude.

Les éditorialistes ne s'y trompent pas : tous parlent d'un « message clair » que les électeurs de Laurier-Sainte-Marie viennent d'envoyer à Ottawa et au Canada. D'autant plus que c'est la première fois qu'un

candidat souverainiste est élu dans une élection partielle fédérale. On parle aussi de la défaite de Chrétien,
le grand perdant de cette élection. Son candidat, Denis
Coderre, a obtenu moins de 20% du vote[12]. Coderre
ayant été l'unique représentant avoué des forces fédéralistes, il est donc aisé de mesurer les appuis fédéralistes dans le comté...

☐

Le soir de ma victoire, je célèbre avec les membres
de ma famille. Pour l'une des très rares fois de sa vie,
mon père accepte de recevoir des photographes de
presse à la maison. La scène est immortalisée alors que
nous nous donnons la main. Nous faisons la une de
La Presse, mais, cette fois, ensemble !

C'est l'une des dernières photos qui nous réunit.
Mon père mourra quelques mois plus tard. Il aura eu
le temps de se réjouir avec moi des perspectives que
cette victoire représentait pour les souverainistes.

_____

12. Denis Coderre (Lib.) 19,14%. Gilles Duceppe (Ind.) 66,9%. Louise
O'Neill (NPD) 7,34%. Christian Fortin (P.C.) 4,45%. Michel Szabo (Vert)
1,57%. Daniel Perreault (Ind.) 0,48%. Réjean Robidoux (Ind.) 0,16%.

CHAPITRE II

Enfance, jeunesse et militantisme (1947-1990)

Hochelaga-Maisonneuve, hier et aujourd'hui

NOTRE ENVIRONNEMENT SOCIAL ET CULTUREL nous façonne au même titre que nos actes. J'ai grandi dans Hochelaga-Maisonneuve. Tout comme mes parents, j'y ai été élevé. J'y ai toujours habité, à l'exception d'un court intermède dans Rosemont et à Belœil. J'ai épousé une fille du quartier, Yolande Brunelle, et nous y avons élevé nos deux enfants, Amélie et Alexis. Je suis allé à l'école Sainte-Jeanne-D'Arc, tout comme Yolande, et ma mère avant moi. Puis-je dire que j'habite ce quartier autant qu'il m'habite?

Ce n'est pas un hasard si j'ai œuvré au sein de groupes communautaires, syndicaux et souverainistes dans ce quartier de travailleurs et de syndiqués, tissé serré et clairement associé aux luttes nationalistes depuis 1970. Hochelage-Maisonneuve, tout comme

Laurier-Sainte-Marie, contredit l'opinion répandue selon laquelle les clientèles peu scolarisées, aux revenus modestes, votent généralement en faveur des fédéralistes. Autre élément à considérer : les électeurs qui y vivent semblent développer une conscience politique différente. Il en est ainsi pour les circonscriptions de l'est de Montréal, qui accordent leur appui au PQ depuis les années soixante-dix et au Bloc depuis sa fondation.

La paroisse occupait jadis une grande importance. Jeunes, nous avions des habitudes solidement enracinées : du snack-bar à la « grocerie », de la patinoire à l'église, tout un monde grouillait, se rencontrait et échangeait, comme dans un petit village. En observant les ouvriers qui sortaient plus tard que d'habitude de la Taverne Dagenais, au coin des rues Hochelaga et Orléans, ma mère devinait qu'il y avait eu des mises à pied à la Vickers ou à l'American Can.

À l'époque où les usines tournaient encore, Hochelaga-Maisonneuve n'était pas le quartier défavorisé qu'il est devenu à compter des années soixante-dix. Son déclin a été causé par la fermeture graduelle des usines ou par le ralentissement de leurs activités.

□

Dans ma petite enfance, j'ai habité dans un logement sur la rue Chambly, entre les rues de Rouen et Hochelaga. C'est dans cette même maison, où nous étions locataires, que ma mère a vécu avec sa famille dès l'âge d'un an ! De ma naissance, en 1947, jusqu'en 1952, nous y avons vécu, mes parents et moi, en compagnie de ma grand-mère et de mon grand-père maternels, de mon oncle et de ma tante, à qui s'ajouteront mes deux frères, Claude et Pierre. Entassés dans ce modeste «quatre et demi», nous étions très près les uns... sur les autres.

En 1952, tout ce beau monde, auquel s'était ajouté mes deux nouvelles sœurs, Louise et Monique, a déménagé dans un «grand six», au 3807 de la rue Hochelaga. Nul doute que cette omniprésence de la famille «élargie» a grandement contribué à tisser entre nous des liens indéfectibles que je chérirai toujours.

Souvenirs de mon père

Parmi mes souvenirs les plus marquants, je retiens l'arrivée de la télévision chez nous. Nous étions alors l'un des rares foyers à posséder ce trésor. *Les Plouffe*, le *Jackie Gleason Show*, *Le Survenant*, le *Ed Sullivan Show* et la *Soirée du Hockey* meublaient nos soirées.

Le samedi soir, mon père jouait dans la série télévisée *Quelles nouvelles?* avec Marjolaine Hébert. Une fois l'émission terminée (c'était à l'époque du direct), il nous amenait souvent assister à une partie de hockey au Forum. Nous arrivions invariablement en retard, mais la magie des lieux nous faisait tout oublier. C'était la grande époque des «Glorieux» et une belle occasion de sortir avec notre père, trop souvent absent.

De là est née la première passion de ma vie: le sport. À la maison on écoutait, on regardait et on commentait avec passion tous les matchs. On en mangeait! La deuxième grande passion, dans la famille, était la politique, une autre «piqûre» qui n'allait pas tarder à faire son effet.

Je repense aussi aux réveillons de Noël. Quand venait le temps d'ouvrir les cadeaux, mon père se retirait toujours dans sa chambre, inconsolable. On allait à

tour de rôle le réconforter. Après avoir versé des tor-
rents de larmes, sa tristesse finissait par s'estomper,
puis il nous rejoignait pour continuer la fête. Dernier
d'une famille de 18 enfants, mon père n'avait vraiment
jamais reçu de cadeau, sauf à ce Noël où on lui avait
offert un joli petit camion. Il était si heureux et fier
d'avoir enfin un cadeau bien à lui. Mais sa joie fut de
courte durée, car le soir même, un de ses oncles brisa
par accident le jouet. Voilà pourquoi, chaque année, à
Noël, pour compenser ses tristesses passées, il nous
inondait de cadeaux.

Le plus bel héritage qu'il nous a laissé a été sa très
grande générosité, qui s'accompagnait également
d'une non moins grande discrétion. Dans un centre
d'accueil de mon comté, rue Rachel, j'avais croisé un
jour la ménagère du curé Bonin de la paroisse Sainte-
Jeanne-d'Arc. Elle m'avait confié que, chaque année,
mon père donnait suffisamment d'argent au curé pour
payer un habit de première communion à deux
enfants, pour un garçon et pour une fille de familles à
faible revenu. Il a toujours exigé et obtenu l'anonymat.

Après sa mort, nous avons appris qu'il a payé les
études supérieures de son neveu, Pierre (le fils de sa
sœur). Cette générosité traduit la grande sensibilité de
mon père qui, comme de nombreux artistes, a vécu
dans un isolement relatif.

Portrait de ma mère

Ma mère a toujours été très belle. Sa beauté, à mes
yeux, a d'autant plus de grandeur qu'elle se fond à sa
personnalité, à la fois réservée et rayonnante. Toute sa
vie, ma mère s'est consacrée à sa famille, à ses enfants

et à son mari, avec une attention, un dévouement et une patience qui traduisent un amour intarissable.

Son père, d'origine irlandaise, avait perdu ses parents en Angleterre. Quand il est arrivé ici, on l'a fait monter avec d'autres orphelins dans un train. À chaque arrêt, un certain nombre d'enfants était recueilli par des familles. Mon grand-père, lui, a été recueilli à Saint-Benoît, sur le bord du lac des Deux-Montagnes. Il a appris le français dans sa nouvelle famille et l'a perfectionné, pour courtiser ma grand-mère... qui elle n'a jamais parlé l'anglais. Ça se passait en français à la maison. Mon grand-père lisait ses journaux en anglais mais s'exprimait en français.

Même si, à l'époque, mon grand-père était considéré comme un « anglais » et nous, comme des « canadiens », jamais il ne me serait venu à l'esprit de ne pas le considérer comme un membre à part entière de la famille !

Aîné de la famille, j'ai eu la chance de développer très tôt une grande complicité avec ma mère. Nous échangions beaucoup et je crois lui avoir apporté une aide réelle. Quand on regarde les photographies de famille, j'ai toujours l'un de mes jeunes frères ou de mes sœurs dans les bras. Lorsque j'ai quitté la maison, elle m'a dit qu'elle perdait un confident et un complice.

Ma mère aurait certainement aimé étudier plus longtemps. Sa curiosité à l'égard du monde a toujours été vive ; le destin — et l'époque — en a voulu autrement. Douce et délicate, introvertie et modeste, elle est toujours restée présente auprès de ses enfants. Protectrice, elle veillait à notre éducation, exigeant de nous que nous respections les bonnes manières et que nous prenions soin des vêtements qu'elle nous confectionnait. Et elle était aussi déterminée que ferme. En raison des activités professionnelles incessantes de mon père, elle devait veiller à tout.

Mon père avait l'habitude de présider les repas familiaux. Après son décès, ma mère s'est assise à sa place, sans dire un mot. Nous n'avons pas eu besoin de discours pour comprendre.

Le clan Duceppe

Mon père avait l'habitude de dire, non sans humour, que nous formions un clan, « à l'image de la famille Kennedy... mais l'argent en moins ». Cette notion de clan, il nous l'a inculquée et nous l'avons à notre tour cultivée. Si l'on me demande ce que la famille représente pour moi, je parlerai de la solidarité qui nous unit tous.

Aujourd'hui encore, les amateurs de bonne chère que nous sommes se réunissent presque toutes les semaines autour d'une table, le plus souvent chez notre mère. Ma sœur Louise, directrice de la Compagnie Jean-Duceppe, agit souvent à titre de maître d'œuvre. Ses talents d'organisatrice font d'elle le pivot familial ; elle ne laissera jamais passer un anniversaire ou une fête sans souligner dignement l'événement.

Durant toute ma jeunesse, j'ai connu une grande complicité sportive avec presque tous mes frères, mais surtout avec Claude, de deux ans mon cadet. À part moi, il est le seul qui n'ait pas choisi de carrière dans le domaine artistique (il travaille dans le domaine des assurances).

Avec Pierre, le troisième enfant, notre séducteur, je partage le plaisir de jouer des tours. Un jour, à la terrasse d'un café, à Paris, nous échangeons des phrases courtes, tantôt en français, puis en anglais et en espagnol, introduisant ici et là des mots italiens ou allemands. Intrigués, nos voisins engagent la conversation et nous nous mettons à leur parler « amérindien » en alignant, comme si nous formions des phrases intelligibles, des noms à consonance amérindienne du territoire québécois : « Chicoutimi Kanawake Témiscouata Chibougamau » veut dire : « apportez du café ». Et nous en rajoutons : « Mistassini Kénogami Tadoussac » devient : « avec un peu de sucre ». Nous devenons l'attraction du café tout entier et on nous paie même notre repas !

Pince-sans-rire, Monique possède l'art de désamorcer les situations les plus tendues, un atout dans son travail de metteure en scène. Un jour, mon père se met en colère et casse une assiette. Monique lui en apporte une autre. Il la casse aussi. Puis une troisième... Quatre ou cinq assiettes plus tard, mon père s'aperçoit du petit jeu de Monique et il s'arrête. Le drame est fini et la séance de défoulement aussi.

Anne, la petite dernière des filles, aussi ma filleule, est une femme déterminée et fonceuse. Dix ans nous séparent ; c'est pourquoi je l'ai portée si souvent dans mes bras. Elle est maintenant conceptrice de costumes pour le théâtre et le cinéma.

Yves, aujourd'hui au Cirque du Soleil, longtemps directeur technique de la Compagnie Jean-Duceppe, a été durant plusieurs années mon compagnon de chambre. Peut-être n'en a-t-il pas gardé que de bons souvenirs : le soir, avant qu'il ne s'endorme, j'imitais le lion pour l'effrayer. Il faut croire que cela ne l'a pas empêché de devenir un grand sportif au tempérament doux et paisible. Mais qu'on ne cherche pas à le faire sortir de ses gonds, car alors le lion en lui a tendance à se réveiller!

Toute cette joyeuse bande est toujours aussi unie qu'elle l'était durant notre jeunesse et le restera toujours.

Des années exaltantes

J'ai passé huit années extraordinaires au collège Mont-Saint-Louis, où j'ai fait mon cours classique. Des années exaltantes ponctuées d'amitiés intenses. J'y ai rencontré des gens qui ont acquis de la renommée: le journaliste sportif Claude Mailhot et le sénateur Pierre-Claude Nolin. Il y avait aussi André Sénécal, qui a été adjoint au chef de cabinet de Jean Doré et Serge Bouchard, philosophe et anthropologue. Même si je n'étais pas un joueur imposant, avec mes 165 livres, le football et le basketball étaient mes sports préférés. Pour les Kodiaks de la Ligue intercollégiale de basketball, j'ai déjà marqué 43 points dans une partie; il paraît que le record tient toujours. Le football était une véritable école de vie. Le travail d'équipe était indispensable. Même Claude Mailhot, le meilleur joueur et vedette de la ligue, ne pouvait gagner seul. Que l'un de ses coéquipiers rate son bloc et Claude ne pouvait pas courir...

Le football nous mobilisait. Les matchs qui se tenaient ici et là au Québec attiraient des centaines de personnes. Tout le collège accompagnait l'équipe dans ses déplacements. On dit même qu'un jour nous avons eu une foule supérieure à celle qu'attiraient les Alouettes!

Toute ma famille assistait aux matchs. Mes deux frères jouaient aussi : Claude, plus que Pierre qui, lui, était une vedette de hockey au collège et dans les rangs junior.

Malgré toutes mes activités sportives, je restais un élève doué qui n'étudiait pas beaucoup et qui réussissait bien. Quand il le fallait, je me mettais à l'ouvrage et récoltais de bonnes notes.

Les premiers murmures...

Mon premier souvenir de « militant » remonte à 1965. J'organise alors le gala de fin d'année de l'Association sportive du collège Mont-Saint-Louis dont je suis le président. L'année suivante, je suis élu président de l'Association étudiante du collège. Notre association se joint à l'Union générale des étudiants du Québec (UGEQ) au cours de mon mandat. Puis, à l'automne 1967, à l'occasion du débat sur l'avenir du collège, un établissement privé, je prends parti pour sa transformation en collège public. Mes origines et mes valeurs m'amènent à envisager l'accès public à une école de qualité comme une obligation politique, morale et sociale.

La question est débattue au cours d'une assemblée générale houleuse. Mon père, présent à titre de parent, est résolument contre le maintien du collège au secteur privé. Il prend la parole en rappelant qu'enfant, il n'a jamais pu se payer le luxe d'étudier dans un collège privé ; il affirme qu'on doit saisir cette occasion d'offrir un enseignement supérieur de qualité à tous. Son intervention ne passe pas inaperçue, d'autant plus qu'il en profite pour écorcher le clergé au passage.

Après le père, c'est au tour du fils, nouveau représentant de l'Association étudiante. Je réitère la position de l'Association, qui est favorable au passage au secteur public. Nous réussissons à convaincre le tiers de la salle. C'est suffisant pour enclencher un mouvement qui ne tarde pas à nous donner raison quand le collège devient, quelques temps plus tard (1968-1969), une institution publique. L'événement est jugé digne de faire la première page du journal *Le Devoir*, donnant ainsi un caractère politique au débat qui va mener, plus tard, à la création du Cégep du Vieux-Montréal.

En revivant à rebours cette année 1967, j'entends distinctement la rumeur qui bientôt prendra la forme d'un gigantesque cri de révolte. Cet été-là, je travaille pour Hydro-Québec. Le soir du 24 juillet, je monte, en compagnie de mon ami Gilles Paquette, sur le toit de l'immeuble de la société d'État pour voir et entendre la foule en liesse. On salue alors un discours historique, qui nous aidera à retrouver un sentiment de fierté et à proclamer notre identité à la face du monde. Le général de Gaulle vient de livrer ce discours émouvant qu'il termine par son célèbre « Vive le Québec libre ! »

L'émotion est palpable. Grâce à la voix du Général, on a le sentiment de participer à la transformation du monde. Sa déclaration précipite le Québec, et tous les Québécois, dans un véritable tourbillon. Nous nous sentons projetés à l'avant-scène de la vie politique, nationale et internationale. La perspective change radicalement, faisant naître tous les espoirs.

1968, l'année de tous les rêves

Au moment du troisième congrès de l'UGEQ, qui se tenait du 20 au 25 février 1968, je suis élu vice-président à l'éducation. On retrouve au comité exécutif Paul Bourbeau, Claude Charron, Louise Harel, Louis Gendreau, André Primeau et Jean Sicotte ; Louis Falardeau en est le secrétaire général. Peu après notre élection, nous nous prononçons officiellement en faveur de l'indépendance du Québec, après avoir suivi avec intérêt les États généraux du Canada français.

Notre équipe succède à celle de Pierre LeFrançois, dont faisait partie Richard Brunelle. Ami de longue date et jusqu'à tout récemment directeur de recherche au Bloc, Richard est aujourd'hui attaché politique au cabinet de la ministre de la Santé du Québec, Pauline Marois.

En janvier 1968, l'UGEQ organisait une première série de manifestations en signe d'appui aux professeurs alors en grève ; il s'agissait de faire ressortir la dimension politique du mouvement étudiant. Il faut se rappeler qu'à l'origine de la fondation de l'UGEQ, en novembre 1964, et dans la foulée de la montée du syndicalisme étudiant en Europe, on définit l'étudiant comme un « travailleur intellectuel ». L'UGEQ participe au même courant, si bien que nos manifestations nous mobilisent tout autant contre la guerre du Viêt-nam que pour l'accessibilité de l'éducation pour tous au Québec. La lutte et la mobilisation s'expriment sur presque tous les fronts et témoignent de notre volonté d'emboîter le pas à tous les mouvements de contestation qui secouent le monde. Nous voulons faire évoluer rapidement les choses, notamment dans le domaine de l'éducation. L'UGEQ appuie, entre autres, la mise en place d'une deuxième université francophone à Montréal (l'UQAM) et la création des cégeps.

La fondation du Cégep du Vieux-Montréal est imminente. Je serai d'ailleurs parmi les membres fondateurs du conseil d'administration provisoire et recevrai les lettres patentes. En fait, c'est une refonte importante que vit le système d'éducation au Québec et l'UGEQ y a fait sa part. Les coopératives d'achat de matériel scolaire, qui datent de 1965, sont une autre des initiatives du mouvement étudiant, ainsi que la création de l'agence de voyages Tourbec. Innovatrice et dynamique, l'UGEQ fait éclater l'idée traditionnelle selon laquelle un étudiant doit d'abord être absorbé par ses études et attendre son tour pour se joindre à la société. Considéré avant comme passif, l'étudiant se transforme en un citoyen actif et militant!

Il est fascinant de constater à quel point le mouvement étudiant a été à la fois la cause et l'effet de tous les bouleversements de la fin des années soixante. Produit d'une prise de conscience des jeunes à l'échelle mondiale et du désir d'affirmation d'une identité nouvelle, il est l'instrument d'une remise en question générale qui débouche sur de nouvelles voies politiques et de nouvelles formes d'expression culturelle.

Radicalisation et contestation permanente définissent bien la direction que prennent alors le mouvement étudiant et la jeunesse en général. Les célébrations de la Saint-Jean de 1968 l'illustrent on ne peut mieux. Ce soir-là, en revenant du travail (j'étais alors permanent à l'UGEQ), je serai témoin de l'émeute qui a pris naissance durant le défilé. Pour de nombreux jeunes nationalistes, la présence de Trudeau à la tribune d'honneur constituait une véritable provocation.

Signe d'un malaise profond, répétition générale de l'automne «chaud» que nous allions connaître? Une chose est sûre: le tumulte est à l'échelle de la sourde violence qui déchaîne une société en pleine mutation.

Tout cela, rappelons-le, survient après les événements de mai 1968 en France. D'abord en proie à l'agitation étudiante, le pays est gagné par la contestation du monde ouvrier, des artistes et de presque toutes les classes de la société.

En pensant à cette époque, je revois un monde qui se transforme, ouvrant toutes grandes les portes de l'espoir et du renouveau. Tout est à faire, à défaire, à réinventer. Tout semble permis. Les nouveaux courants musicaux le chantent tous les jours; la jeunesse incarne cette volonté de changement et s'affirme comme l'élément vital de cette transformation.

L'Osstidcho est la manifestation la plus spectaculaire d'une nouvelle culture québécoise. Au cours des premières représentations, il suffit de se présenter à la porte de la Comédie canadienne et de mentionner que nous sommes des amis de «Robert» (Charlebois, bien entendu) pour qu'on nous laisse entrer gratuitement. Louise Harel est une grande amie du clan Charlebois et grâce à cette amitié par procuration, nous pouvons assister à un moment phare de l'évolution du *show business* québécois.

☐

Jamais n'aura-t-on vu au Québec laboratoire d'idées plus fertile qu'au 112, rue Saint-Paul Ouest, le siège social de l'UGEQ. Il y règne une agitation incessante; des groupes de toutes les tendances s'y retrouvent, radicaux comme modérés.

C'est au cours d'une grande semaine «syndicale» étudiante, à la fin du mois d'août 1968, à Sainte-Anne-de-Bellevue, que je mesure dans quel état d'ébullition est le mouvement étudiant. Plus de 500 militants et militantes des collèges, cégeps et universités s'y rassemblent. On assiste à un formidable brassage d'idées, qui mène à une contestation si radicale qu'elle emportera bientôt tout le mouvement.

Nous revendiquons la gratuité scolaire et l'enseignement coopératif. Nous voulons un partage de la richesse et du pouvoir. C'est le sens premier que je donnerais, encore aujourd'hui, à mon engagement politique.

Dès l'automne 1968, des collèges sont occupés et cela se poursuit jusqu'à l'hiver 1969. Dans l'intervalle, le mouvement étudiant se radicalise et perd parfois de vue, je le déplore aujourd'hui, son action syndicale. Le dernier congrès de l'UGEQ aura lieu en avril 1969. L'organisation sera dissoute au cours des mois suivants. Il n'y aura pas d'oraison funèbre.

La désorganisation relative du mouvement étudiant ne m'a jamais fait perdre de vue la nécessité de poursuivre le combat de l'indépendance nationale et celui de la justice sociale. Toutes les convictions qui m'animaient au sein de l'UGEQ sont toujours intactes. Mieux encore, je reconnais encore la pertinence de faire avancer ces idées au sein d'organisations structurées et cohérentes, tout comme l'a été l'UGEQ avant de se saborder elle-même.

Le combat souverainiste : le choix des armes

Les élections québécoises au printemps 1970 me redonnent une nouvelle chance de se manifester mes idéaux : je décide de joindre l'équipe de Robert Burns, candidat péquiste dans Maisonneuve. Cette élection m'intéresse d'autant plus que Michel Chartrand, que j'avais rencontré lorsque je militais à l'UGEQ, m'avait demandé d'inviter officiellement mon père à être candidat dans le comté. Mon père a refusé, mais accompagnait Burns au moment de l'assemblée d'investiture, ce qui constituait un appui non négligeable. Si le père ne s'est pas présenté, le fils ne manquera toutefois pas l'occasion de s'engager dans cette première campagne péquiste.

Aux côtés de Robert Burns, j'adhère au PQ et je travaille activement à la promotion de la cause souverainiste. Je suis à la fois son secrétaire et l'un de ses organisateurs. Burns remporte une victoire éclatante ; il est l'un des sept candidats péquistes élus au cours de ces élections. Victoire dans le comté, mais défaite électorale, avec seulement 7 députés élus et pourtant 23,6 % des voix dans tout le Québec ! Un résultat aussi décevant m'amène à remettre en question la poursuite de mon engagement politique.

L'occasion d'en discuter survient dans les mois qui suivent. Je retrouve à Saint-Jérôme mes amis Pierre-Paul Roy et Bob Dufour, ainsi que Claude Charron et quelques anciens militants de l'UGEQ et des membres de l'organisation jeunesse du PQ. La question à l'ordre du jour est la suivante : « Devons-nous poursuivre notre engagement politique ou concentrer nos efforts sur le travail communautaire ? »

La décision que nous allons prendre guidera notre action pour les années à venir. Pierre-Paul et moi préférons militer au sein d'organismes communautaires, non seulement pour défendre les intérêts des moins nantis, mais aussi pour tenter de les rendre sensibles à la cause souverainiste. Ce choix traduit notre volonté de trouver et d'appliquer des solutions immédiates à des problèmes concrets.

J'en profite pour souligner l'importante contribution des organismes communautaires à l'amélioration des conditions de vie de centaines de milliers de citoyens québécois. Parallèlement aux interventions de l'État, l'action communautaire est un moyen privilégié de créer une solidarité sociale. Elle donne des outils aux personnes issues des milieux les plus vulnérables pour leur permettre de sortir de leur dépendance et de se prendre en main.

L'action politique demeure tentante. Et cette tentation, d'ailleurs, ne me quittera pas tout au long des années qui suivront. Mais il me faudra attendre 20 ans pour que le fruit mûrisse et revête exactement le sens de mon engagement: l'accession à une société plus juste où le Québec s'épanouira par la souveraineté.

Octobre 1970: malaise et incertitude

Je ne connais personne qui ait conservé un bon souvenir d'octobre 1970, de cette période de perturbation qui a suscité beaucoup de malaises, de désarroi, de suspicion et de divisions.

À la veille des premiers événements, je suis directeur du *Quartier latin*, bimensuel étudiant influent. Le

FLQ défraie déjà les manchettes et son action divise les membres de l'équipe du journal. Je ne ressens pas la moindre affinité avec ce mouvement. Je m'en suis toujours tenu le plus loin possible et mon jugement alors est le même qu'aujourd'hui : la violence ne mène à rien.

Nous publions cinq numéros qui rendent compte fidèlement de l'état de notre réflexion et de notre position. Nous traversons la crise d'Octobre, sans nous trahir et sans trahir personne. Il faut comprendre que notre position est alors des plus délicates : nous avons le choix entre nous taire et continuer à écrire et, ainsi, contribuer à faire entendre les principaux acteurs des déchirements que nous vivons. Nous risquons cependant de jouer le rôle de « chien limier » auprès des enquêteurs de la GRC qui, on s'en doute, s'intéressent de très près aux groupes gauchistes et étudiants, d'où émanent beaucoup de felquistes.

Des journalistes de l'équipe reçoivent des communiqués et des photos de felquistes qui, à raison, considèrent notre journal comme progressiste, même si le *Quartier latin*, sympathique au contenu du manifeste, n'a jamais appuyé ni le FLQ ni le terrorisme.

Ce mois d'octobre est, à n'en pas douter, marqué par une grande division que seule la mort de Pierre Laporte parvient à atténuer. Il aura fallu un événement de cet ordre, aussi triste que tragique, pour faire diminuer, du moins à court terme, les tensions dans tous les groupes. La société québécoise n'a pas progressé. La violence — engendrée par le FLQ, mais aussi par des forces de répression policière — nous a plutôt fait reculer de quelques pas.

En imposant la Loi sur les mesures de guerre, Pierre Elliott Trudeau a réalisé un coup de force sans précédent contre le Québec. Les forces policières connaissaient fort bien les quelques felquistes responsables d'actes criminels et le gouvernement Trudeau s'est servi de cette loi pour terroriser la population dans le but de tuer dans l'œuf le mouvement souverainiste naissant.

À la recherche de nouvelles voies

L'époque n'est pas rose pour la gauche et pour les souverainistes. Je suis très présent auprès de comités de citoyens, dans l'espoir de rebâtir un vrai réseau de solidarité, seul remède à mes yeux au malaise social généralisé. Je m'implique activement en devenant notamment animateur social et militant du Front d'action politique (on se souviendra de la débâcle électorale qui a suivi la crise d'Octobre). Nous implantons un grand nombre de garderies populaires. Sur le plan personnel, je connais une grande joie : la naissance de ma fille Amélie.

Vers 1973, je m'engage de plus en plus dans ce que l'on désignera comme l'extrême gauche québécoise. Des débuts de la revue *En lutte* à mon implication au sein de la Ligue communiste marxiste-léniniste, puis au sein du Parti communiste ouvrier (PCO), je ne retiens ni gloire ni fierté. Je n'hésite pas à dire aujourd'hui que j'ai été coupé de la réalité sociale et politique de mon milieu pendant cette période. Le mot d'ordre d'abstention au référendum de 1980 illustre parfaitement cette réalité.

Je ne suis pas le seul à m'être leurré ; plusieurs l'ont reconnu ouvertement par la suite, d'autres préfèrent l'oublier. Mais on aurait tort de condamner sans appel ce courant politique qui, malgré ses défauts, avait des intentions généreuses. Si plusieurs personnalités publiques actuelles ont alors appartenu à ces mouvements d'extrême gauche et l'ont affiché publiquement, c'est parce que, malgré leur dogmatisme, ils étaient porteurs de justice et de générosité.

En 1976, lorsque le Parti québécois a été élu, j'ai regretté de ne pas être de la fête. J'étais heureux de cette victoire, mais il ne fallait pas le montrer. C'était une erreur : nous avons préféré maintenir la ligne dure et ne pas appuyer ce parti « bourgeois ».

□

À l'automne 1977, militant du PCO, je suis engagé comme préposé aux bénéficiaires à l'Hôpital Royal Victoria où je tente, avec d'autres, d'amener les travailleurs de l'hôpital à joindre les rangs de la CSN. Il y a là un syndicat de boutique qui ne défend aucunement les intérêts des travailleurs. Je me donnerai à la « cause du peuple » durant quatre longues années. Les conditions sont souvent difficiles et les horaires, chargés. Je travaille souvent de nuit et j'assiste aux réunions politiques le soir, sacrifiant une part de mes revenus au parti.

Pendant que je m'éloigne progressivement de l'extrême gauche (ses prises de position me semblent davantage tenir de l'enfermement idéologique que d'une analyse juste et réaliste), j'ai des expériences de travail marquantes et souvent émouvantes. De l'urgence aux soins intensifs, en passant par les cuisines de l'hôpital, mon travail me fait voir tout ce que l'on peut voir de l'humanité souffrante et agonisante. Je vois des gens mourir et je m'occupe de leur corps jusqu'à ce que les responsables de la morgue viennent les chercher. Je tiens les membres que les chirurgiens amputent dans les salles d'opération.

Travailler en milieu hospitalier, en anglais, avec des collègues originaires pour la plupart de l'étranger (des Grecs, des Portugais et des Jamaïcains) me place en position de minoritaire. L'expérience n'est pas sans intérêt pour comprendre les défis d'une citoyenneté qui inclut tous les Québécois. Mais je retiens encore davantage la solidarité humaine que j'ai découverte auprès des patients de l'hôpital. On saisit le sens profond de l'amour et du sacrifice quand on voit les regards que s'échangent un homme et une femme qu'on amène à la salle d'opération, où l'un des deux donnera son rein à l'autre.

J'assiste à quelques reprises aux adieux qu'une famille adresse à son enfant mourant. Je revois encore des parents en larmes signer une autorisation de dons d'organes ; les baisers émouvants que les parents déposent une dernière fois sur leur enfant. Pour eux, la vie qui s'en va peut maintenant en sauver une autre. La mort engendre la vie. D'avoir, comme d'autres dans le secteur hospitalier, aidé des gens à lutter pour vivre ou à accepter leur sort, d'avoir vu des familles éprouvées par de telles situations de désespoir m'a obligé à réfléchir au sens profond de la vie et aux sentiments qui animent les êtres humains.

Cela m'a amené aussi à prendre le temps d'apprécier chaque bon moment de la vie.

Justement, la vie m'offre l'un de ces bons moments alors que je travaille toujours à l'hôpital, en 1979. Yolande donne naissance à notre fils, Alexis. Un 1er juillet (la fête du Canada) ! Petit, Alexis était très fier de voir tous ces feux d'artifice le soir de son anniversaire.

Et puis, lorsque les journalistes me demandaient, pour me taquiner, si j'allais célébrer le 1er juillet, ils étaient tout étonnés de m'entendre répondre : «Oui, bien sûr!»

□

Ma rupture définitive avec l'extrême gauche suit le référendum de 1980; le mot d'ordre de boycott se transforme en blessure très vive et profonde. En recommandant l'annulation du vote, le mouvement s'écartait radicalement de toute analyse objective de la réalité québécoise. Si on ajoute à cela, sur un plan plus personnel, les soupçons «bourgeois» que j'éveillais en continuant de fréquenter — à l'encontre des directives du parti — les membres de ma famille (!), on comprendra que, pour moi, la coupe est pleine. Le sectarisme et la volonté de moins en moins équivoque de régenter notre vie privée me font abandonner le mouvement, non sans un grand soupir de soulagement. Il disparaîtra entièrement du paysage politique peu de temps après.

À la mort de René Lévesque, j'ai pleuré toute la soirée. Quand j'ai revu à la télévision des images du 20 mai 1980, j'ai eu le sentiment de l'avoir trahi en annulant mon vote au référendum. Comment avais-je pu faire une chose pareille?

Le travail syndical

Je suis congédié du Royal Victoria sous le prétexte d'avoir organisé une grève illégale, alors que je n'avais que traduit un document de l'assemblée appelant à la grève. Deux personnes seulement sont congédiées : le vice-président du syndicat, Oleg Neboschizkij, et moi-même. Comme par hasard, les deux personnes les plus actives dans le travail de syndicalisation pour s'affilier à la CSN ! La lutte sera d'ailleurs menée à terme, mais seulement après mon renvoi.

Le travail au Royal Victoria me permet d'établir des premiers contacts avec la CSN, avec laquelle je maintiendrai des liens professionnels jusqu'en 1990, à la veille de mon élection pour le Bloc. Je trouve au sein de la CSN un milieu de travail où mon action peut venir en aide à d'autres. Mes premiers mandats consistent à mettre en place de nouveaux syndicats, à mobiliser les travailleurs, à organiser des maraudages. C'est un travail exigeant, auquel je me consacre tout entier. Avec le recul, je me rends compte aujourd'hui à quel point ce travail peut ressembler à l'organisation d'une campagne électorale : il s'agit de convaincre le maximum de gens de se joindre à un mouvement.

Je participe par ailleurs à la campagne de Jean Doré, pour les élections municipales de Montréal, à l'automne 1986. Jean Doré est un ami de longue date (nous nous sommes connus en 1967, alors qu'il était président de l'AGEUM, et moi, vice-président de l'UGEQ) avec qui je partage des idées et des valeurs communes et même des liens familiaux, puisqu'il vit avec mon ex-conjointe et mère de ma fille Amélie, Christiane Sauvé.

Durant environ cinq ans, mon travail consiste à organiser de nouveaux syndicats. Lorsque la CSN m'offre un poste de négociateur, en 1986, j'accepte tout de suite ce nouveau défi. Le travail de négociateur est une autre excellente préparation à la scène politique. Avant toute chose, il faut savoir défendre les intérêts du groupe que l'on représente, se mettre dans la peau de son interlocuteur pour bien comprendre ses intérêts et saisir sa logique afin de pouvoir réfuter ses arguments.

En tant que dirigeant d'un parti politique, je peux affirmer aujourd'hui qu'il n'est pas inutile d'être un négociateur expérimenté pour ramener la paix et l'harmonie au sein d'un groupe de travail. Le véritable enjeu d'une bonne négociation est la satisfaction des parties, sans quoi on risque de voir se détériorer les conditions générales et, tôt ou tard, se retrouver dans une impasse. Les intérêts peuvent être divergents, mais il existera toujours un terrain d'entente où chacun peut y trouver son compte. On peut généralement prévoir les réactions d'un adversaire et se préparer en conséquence. Il est parfois plus difficile de convaincre ses propres troupes de la nécessité de faire front commun pour exprimer des revendications légitimes !

Les plus importantes négociations que j'ai menées ou coordonnées ont été celles du secteur de l'hôtellerie, en 1987 et en 1990. Pour bien comprendre les enjeux, il faut souligner qu'il s'agissait de la première négociation collective pour tout le secteur, tant les grands que les petits hôtels.

Outre le renouvellement de la stratégie de communication que j'ai déjà évoqué, nous avons pris le temps d'étoffer nos arguments. À partir d'une étude exhaustive des taux de rentabilité dans le secteur de l'hôtellerie à l'échelle mondiale, nous avons présenté un mémoire démontrant la rentabilité en fonction du taux d'occupation et du type de catégorie des hôtels. Nous pouvions donc, chiffres à l'appui, réfuter les données que certains hôteliers brandissaient. Nous étions extrêmement bien préparés pour une négociation serrée.

Nous avons obtenu, dans certains cas, des rattrapages de l'ordre de 30 %. Du jamais vu dans ce secteur où l'on retrouve beaucoup de néo-Québécois.

□

Je n'ai nullement la prétention de faire ici l'historique du mouvement syndical au Québec. Néanmoins, je veux rappeler à quel point les syndicats ont été essentiels à l'établissement d'un climat de travail sain et avantageux pour toutes les parties. Mesures discriminatoires, abus de toutes sortes ou grossières intimidations n'ont jamais contribué à installer quoi que ce soit de constructif. En améliorant le sort des travailleurs, les syndicats ont contribué à consolider l'économie québécoise au profit de tous et anéantir les velléités de certaines entreprises à diviser leurs employés.

Une des nombreuses leçons de mon passage dans le monde syndical est qu'il ne faut jamais confondre principes et objectifs. Si l'on n'atteint pas exactement l'objectif visé, cela ne signifie pas que l'on ait renoncé à ses principes. Inversement, il ne faut pas se laisser aveugler par des objectifs à courte vue aux dépens de ses principes. L'important, en négociation comme en politique, c'est de conserver en toute chose une juste perspective. Cette leçon continue à me guider dans mes actions.

CHAPITRE III

Être ou ne pas être un parti

La mort de mon père

PARMI LES ÉVÉNEMENTS qui m'ont touché pendant mon premier mandat au Parlement fédéral, le décès de mon père, le 7 décembre 1990, échappe à toute réalité politique. Je remplaçais alors Lucien Bouchard à la commission Bélanger-Campeau. Dès le début des audiences, je savais que l'état de santé de mon père s'était déjà passablement détérioré. Quand j'étais allé le voir en septembre, la maladie avait beaucoup progressé et il venait de se faire couper un orteil. Mes frères et moi, nous avions tenté de l'encourager, lui disant qu'un orteil, ce n'était peut-être pas si grave, après tout. Il avait alors fait une de ses légendaires colères :

— Mais qu'est-ce que tu crois ? C'est ton orteil qu'on t'a enlevé ?

Le diabète faisait des ravages. Je me souviens encore de la description qu'il faisait de son état : il disait qu'il avait l'impression de « rouiller » de l'intérieur.

Le dimanche soir précédent sa mort, ma mère m'appelle pour me dire que mon père vient de faire un arrêt cardiaque et qu'il vit ses derniers moments. Avec Yolande et mon fils Alexis, j'arrive précipitamment à l'Hôpital Saint-Luc. Dans le couloir menant à sa chambre, un vigoureux appel :

— Gilles !

C'est la voix de mon père. Son cœur est reparti de plus belle et il m'appelle avec toute l'énergie que je lui connais. Dès que je suis à son chevet, il me demande, de but en blanc :

— As-tu vu la partie de hockey, hier soir ?

C'est bien la dernière question à laquelle je m'attends de la part d'une personne que je croyais à l'article de la mort quelques instants plus tôt. Aujourd'hui, quand je repense à cet épisode saugrenu et cocasse à la fois, je reste surpris par cette attitude imprévisible. Mais je revois mon père comme il a toujours été : un être entier, passionné, imprévisible.

□

Dans la nuit du 7 décembre, je suis à Sherbrooke quand le téléphone sonne vers trois heures. Mon frère Yves m'apprend que papa vient de mourir. Je lui avais parlé quelques heures auparavant. Il s'inquiétait pour mon frère Claude qui venait de perdre son emploi et me demandait de l'aider. Il me fit promettre aussi de m'occuper de maman quand il serait parti. Je lui ai donné ma parole et lui ai dit que Claude pouvait compter sur moi. Il m'a remercié. Je lui ai promis de venir le voir samedi à mon retour à Montréal. C'était trop tard. Il m'avait appelé pour que j'aide Claude et que je m'engage à m'occuper de maman. Il s'inquiétait pour sa famille, mais mes promesses le rassuraient. Il pouvait partir en paix.

Je rentre à Montréal très tôt et je retrouve la famille réunie autour de maman. Elle est bouleversée, un peu perdue. Le monde — son monde — ne tourne plus comme il devrait. L'inacceptable, la mort de son mari, vient de la frapper de plein fouet.

Il n'y a pas eu de cérémonie religieuse. Nous avons respecté les volontés de mon père qui n'était pas croyant. Nous sommes restés entre nous, la famille immédiate, à panser notre douleur. Le deuil soulève des émotions d'une exceptionnelle intensité qui s'estompent très, très lentement, avec les années.

Ce soir-là, mes enfants, Amélie et Alexis, doivent se produire en spectacle, chacun de leur côté. Amélie joue du hautbois dans l'orchestre symphonique de l'école Joseph-François Perreault. Alexis a un petit rôle au Théâtre Jean-Duceppe dans *Un ennemi du peuple* d'Ibsen. Ils me disent, l'un et l'autre, que leur grand-père leur a appris que *the show must go on*. Et qu'ils joueront pour lui ce soir-là!

Assermentation et allégeance

La loi oblige tous les députés fédéraux à prêter serment d'allégeance à la reine d'Angleterre. Au lendemain de mon élection dans Laurier-Sainte-Marie, je ne peux y échapper et, le 27 août 1990, mon assermentation est vite expédiée dans le bureau du greffier, Robert Marleau.

Peu de temps après, je veux inscrire le sens réel de mon engagement politique dans une perspective plus authentique et plus vraie. Je convie à la Maison du citoyen de Hull ma famille, celle de Yolande, mes amis et des sympathisants à une cérémonie où je prononce publiquement un serment envers le peuple québécois : « Mon allégeance nationale est québécoise. Mon territoire d'appartenance est le Québec, foyer d'un peuple de culture et de langue françaises dont j'entends promouvoir la souveraineté. »

Michel Légère, le maire de Hull, me souhaite la bienvenue dans sa ville, puis plusieurs personnes prennent la parole pour me féliciter : Gilles Rocheleau, le député de Hull-Aylmer qui vient de se joindre au Bloc, André Boulerice, le député péquiste de Sainte-Marie-Saint-Jacques qui m'a efficacement soutenu durant mon élection, ainsi que mon chef, Lucien Bouchard.

L'ambiance à la chambre : la période des questions

Les députés du Bloc ont été accueillis à Ottawa par des réactions mesquines, pour ne pas dire une franche agressivité. Les plus durs ont été les membres de la députation québécoise, tant libérale que conservatrice, qui étaient souvent les premiers à nous lancer des insultes. Nous dérangions beaucoup et quand venait la période des questions, on nous ignorait totalement. Il convient de rappeler que, contrairement au traitement que l'Assemblée nationale avait accordé au Parti Égalité l'année précédente, le Bloc n'a jamais été reconnu officiellement comme un parti politique avant 1993, même s'il a compté jusqu'à neuf députés. Nous étions également privés de certains budgets, pour la recherche notamment.

Nous avions beau nous réunir tous les matins pour éplucher l'actualité et préparer nos interventions, on nous laissait rarement poser des questions. Dans la pratique, nous étions limités à une question par semaine. À coup sûr, nous représentions une menace pour les députés fédéralistes en place au Québec et pour le système fédéral. Entre nous, parmi les premiers députés du Bloc, nous avons appelé cette période notre « traversée du désert ». Dans ce climat, il importait avant toute chose de préserver la discipline au sein de notre troupe et de ne pas céder aux provocations incessantes de nos adversaires.

1990 : une année charnière

L'époque qui a suivi mon élection a été marquée par une extraordinaire effervescence politique. Entre la naissance du Bloc et le début des travaux de la commission Bélanger-Campeau à l'automne, nous avons traversé la crise d'Oka, qui a eu des échos considérables au Canada et ailleurs dans le monde, et l'image du Québec en a souffert. Certains fédéralistes étaient trop heureux d'alimenter des médias étrangers incapables de faire la part des choses et avides de sensationnalisme.

Au parlement, je rappelle que cette crise survient dans le contexte d'une vague souverainiste ralliant une majorité de Québécois. Une bonne portion du Canada accorde un appui « sans nuance » aux Amérindiens, confondant de façon douteuse les « Warriors » et les autochtones porteurs de revendications légitimes. La confusion est telle que des chefs autochtones doivent apporter des rectificatifs importants pour que la population et les médias puissent faire la distinction entre les Warriors et la grande majorité des membres de leurs communautés.

Je rappelle aussi que c'est le Québec qui, le premier, a reconnu officiellement les peuples autochtones, en 1985, sous le gouvernement péquiste de René Lévesque. C'est aussi au Québec qu'a été signée la Convention de la Baie-James en 1974, laquelle est encore citée aujourd'hui comme un modèle d'entente entre une majorité «blanche» et des peuples autochtones. Certains principes fondamentaux de toute véritable démocratie sont en jeu, à savoir notamment que le droit des uns ne doit jamais brimer celui des autres.

Ce discours n'est pas tout à fait fortuit, dans la mesure où mon intérêt pour cette question remonte à 1963, année où j'en ai fait le sujet d'un de mes premiers travaux de recherche au collège. J'avais été alors consterné de réaliser que les autochtones relevaient, à Ottawa, du ministère des Ressources naturelles !

Et cela me rappelle un souvenir : dans mon enfance, au retour d'un voyage, mon père nous avait appris que dans certaines régions du Québec, on vendait l'eau potable aux Amérindiens. Cela m'avait scandalisé et, depuis, cette image m'est restée comme celle d'une injustice qu'il faut réparer.

Le Parlement, en cet été 1990, devient non seulement une tribune pour la défense de la vérité et des intérêts du Québec, mais aussi l'occasion d'intervenir dans un épisode mouvementé, sur la scène internationale cette fois : la guerre du Golfe. Le Bloc peut alors participer à un débat sur une question d'actualité internationale, une prérogative qui échappe aux forces souverainistes du Québec.

Je fais entendre une vision différente du conflit. Je pose une question simple : « Pourquoi sommes-nous en guerre ? » tout en tentant de tracer les grandes lignes d'une action future, en vue de préparer la paix. J'invite le Canada à déployer une activité diplomatique intense afin de favoriser la paix plutôt que la guerre.

Les députés bloquistes conviennent de voter librement. Pour ma part, je condamne l'invasion irakienne au Koweït ; il faut exiger le retrait des troupes de Saddam Hussein, s'opposer à toute intervention offensive militaire du Canada, mais maintenir les forces armées canadiennes en attente dans le golfe pour faire respecter un cessez-le-feu si cela s'avère nécessaire. Je préconise, en autre, la tenue d'une conférence internationale sur la situation au Moyen-Orient pour jeter les bases d'un véritable effort de paix.

À la suite d'un assez long discours, je suis salué très chaleureusement par le député libéral de Saint-Denis, Marcel Prud'homme, qui se dit heureux de voir un collègue s'intéresser si ardemment à la situation internationale. Il souligne aussi, de façon plutôt inattendue que, parmi les bons discours qu'il a entendus dans cette Chambre à ce sujet, le Bloc Québécois en compte deux, le mien et celui de Lucien Bouchard.

L'organisation

Dans l'apprentissage de mes nouvelles fonctions, je dois donner autant d'importance aux aspects pratiques de mon travail qu'aux débats politiques. Tout est

à faire, à commencer par l'organisation et le financement de mon bureau de député à Montréal et à
Ottawa. Nous créons le Fonds Gilles-Duceppe pour
assurer le financement des activités.

Pour bien faire comprendre la situation, précisons
qu'au cours des premières années de mon mandat, je
dispose d'un budget de 171 000 $ pour payer tous les
frais de fonctionnement de mon bureau de Montréal,
en plus de m'assurer des services de quatre employés,
deux à Montréal et deux à Ottawa. La marge de
manœuvre est donc très mince, et se transforme rapidement en déficit de plusieurs milliers de dollars
chaque année.

Pour la première grande opération de financement,
nous produisons une pièce de Michel Tremblay, *La
maison suspendue*, qui se révèle une réussite, avec un
profit net de plus de 30 000 $.

En Chambre, comme nous sommes peu nombreux
du Bloc, j'hérite d'une kyrielle de dossiers, allant de la
condition féminine à la défense nationale, en passant
par les relations de travail, le commerce, le développement des ressources humaines, le multiculturalisme,
les autochtones et j'en passe. Je suis donc plutôt
occupé au parlement, du mardi au jeudi, et le reste du
temps au bureau de mon comté à Montréal, quand je
ne suis pas en tournée quelque part au Québec. S'ajoutent à mon travail de député mes responsabilités au
sein de Mouvement-Québec, qui a été créé dans la
vague de Meech et de la commission Bélanger-
Campeau.

Bénéficiant de l'appui d'organisations nationalistes
et de centrales syndicales, Mouvement-Québec
regroupe un grand nombre de souverainistes de différents horizons qui pressent le gouvernement québé-

cois de tenir un référendum sur la souveraineté. Nous réussirons, entre autres, à déposer à l'Assemblée nationale une pétition signée par plus d'un million de Québécoises et de Québécois favorables à la tenue d'un référendum. En tant que représentant du Bloc, je parcours toutes les régions du Québec, multipliant les assemblées publiques, les rencontres, les conférences, etc.

Si l'on ajoute encore ma présence à la commission Bélanger-Campeau, on aura une petite idée de l'horaire extrêmement chargé de ma première année d'activités parlementaires. Le défi reste d'assurer notre présence à la Chambre, malgré les multiples crocs-en-jambe politiques et administratifs de nos adversaires.

La transformation en parti

J'ai été élu, en août 1990, pour être député sous la bannière des bloquistes, mais la question de la formation d'un véritable parti est encore ouverte. Nous sommes divisés. Personnellement, je ne suis pas très chaud à cette idée, car je suis convaincu qu'un référendum est imminent et qu'il y a bien d'autres priorités. Je crains qu'en créant un nouveau parti, nous nous privions de l'appui très large dont notre groupe hétérogène bénéficie. En restant non affiliés à un parti officiel, nous pourrons rassembler et rejoindre le plus grand nombre.

C'est ce que je pense jusqu'à la relâche parlementaire. Mais le recul aidant, je me convaincs des avantages de transformer le courant que nous représentions sur la scène fédérale en parti. Fonder un parti ne veut pas dire que nous logeons tous à la même enseigne et je suis bien conscient que des divergences dans nos méthodes de travail ou d'analyse persisteront. Mais pour être plus efficaces, notamment dans le financement de nos activités, nous devons nous donner les assises d'un parti. C'est autour de la souveraineté du Québec que nous devons assurer la cohérence de notre discours. Pour la petite histoire, je retiens de ce débat le doigté politique de Lucien Bouchard. Si, au départ, il n'est pas lui-même partisan de cette transformation, il me fait comprendre que la politique est avant tout l'art du mouvement.

« Si tu demeures campé sur tes positions, tu n'avanceras à rien », me dit-il. En gardant à l'esprit nos objectifs et en nous fiant à notre intuition, ce qui est le cas de Lucien Bouchard, on peut, en politique comme ailleurs, développer une sensibilité aux choses, une grande souplesse aussi bien dans l'approche théorique que dans l'action. Ce débat m'a aussi enseigné qu'on peut tirer profit de discussions avec des gens qui ne partagent pas nécessairement nos points de vue. Or je m'estime heureux d'avoir eu avec Lucien Bouchard des échanges souvent musclés, mais extrêmement enrichissants.

Nous avons été nombreux à croire que Robert Bourassa respecterait la loi 150, qui faisait miroiter la tenue d'un référendum sur la souveraineté au plus tard en octobre 1992. Ce climat explique en partie les appuis que le Bloc reçoit... des libéraux du Québec.

Des rencontres ont lieu avec des responsables du gouvernement libéral (les ministres Lawrence Cannon, Gérald Tremblay et André Bourbeau et les députés Jean-Guy Lemieux et Georges Fahra, qui représentent l'aile nationaliste du PLQ). Le Bloc est soutenu par une

certaine frange du Parti libéral. Ainsi, Jacques Chagnon, député de Saint-Louis, m'appuie publiquement
lors de mon élection, du jamais vu, et le signe d'une
alliance ou, tout au moins, d'un vent de concertation
encore jamais atteint au Québec. À cet appui, il
convient d'ajouter le soutien du PQ et de la quasi-
totalité du mouvement syndical.

Il est légitime de croire alors que le Oui l'emporte-
rait au cours d'un éventuel référendum. Bourassa a
tous les atouts en main et l'occasion de réécrire
l'histoire.

Questions et remous

Dans les phases initiales de l'établissement d'un
parti — ou d'un mouvement —, il faut toujours
s'attendre à naviguer dans des eaux troubles, à essuyer
quelques tempêtes et à résister aux risques de nau-
frage en évitant les écueils et le chants de quelques
sirènes tentatrices.

Une fois réglée la transformation du mouvement
en parti, en juin 1991, il reste encore à préciser son
statut, particulièrement dans ses rapports avec le Parti
québécois et ses liens avec le mouvement souverainiste en général.

Il y a alors un courant, minoritaire et assez discret
mais néanmoins réel, en faveur du transfert du Bloc à
Québec. Il émane principalement d'anciens militants
du Parti québécois qui l'ont quitté avec l'arrivée de
Jacques Parizeau et qui pensent pouvoir poursuivre à
plus ou moins brève échéance le combat sur la scène
québécoise. On peut se demander si pareil mouvement

n'aurait pas recueilli aussi l'appui de libéraux inquiets des louvoiements de Robert Bourassa (qui culmineront par sa capitulation au moment des négociations préalables à l'entente de Charlottetown au cours de l'été).

En juin 1992, a lieu un important conseil général du parti à Laval. Lucien Bouchard affirme le caractère «fondamentalement» éphémère du Bloc, destiné avant tout à préparer et négocier l'accès du Québec à la souveraineté auprès d'Ottawa. «Il n'est certainement pas de notre propos de définir un programme de gouvernement. Car le Bloc ne formera jamais de gouvernement, ni à Ottawa ni à Québec.» On assiste alors au départ de quelques membres, de toute évidence insatisfaits de travailler exclusivement et de façon temporaire sur la scène fédérale.

À ce conseil général de Laval, Jean Lapierre prend la parole à l'heure du lunch pour appuyer la position de Bouchard. Il s'affirme encore plus qu'au congrès de fondation tenu l'année précédente à Tracy. De mon côté, je considère son engagement de bon augure pour le parti. Cependant, et je ne l'apprendrai que plus tard, il entre alors dans une période de réflexion qui débouchera sur son départ quelques semaines plus tard. Le 22 juillet, précisément le jour de mon anniversaire, Jean m'appelle pour m'annoncer qu'il quitte le parti. Comme cadeau de fête, on a déjà vu mieux !

Une station de radio lui a offert un poste d'animateur et il a déjà réussi les tests d'embauche. C'est pour moi une grande déception. Je perds en Lapierre un allié et un complice, ainsi qu'un collègue qui m'a beaucoup appris, notamment par son expérience de parlementaire. Malheureusement, je pense qu'avec l'abandon par le PLQ de la plate-forme constitutionnelle inspirée du rapport Allaire au profit de l'entente de Charlottetown, il se sentait déchiré entre ses amitiés libérales et son adhésion au Bloc Québécois.

Charlottetown

Le départ de Lapierre soulève une question beaucoup plus vaste : l'accord de Charlottetown et les enjeux d'un prochain référendum.

Rappelons les faits : en juin, à la surprise générale, nous apprenons que Robert Bourassa s'apprête à négocier avec les autres provinces une nouvelle proposition présentée par le ministre fédéral responsable des Affaires constitutionnelles, Joe Clark. L'entente de Charlottetown, acceptée à genoux par Bourassa, devient le terrain de notre prochaine bataille politique.

Pour reprendre une métaphore sportive, nous avons su que nous détenions le « momentum » de la campagne référendaire quand Brian Mulroney, au cours d'une assemblée publique, a déchiré de façon théâtrale le texte de l'accord. Le soir même, Lucien Bouchard commente l'incident en déclarant que le premier ministre vient de détruire la seule copie de l'entente. L'assemblée est gagnée par l'hilarité et l'enthousiasme. C'est l'un des moments forts de la campagne.

Si la campagne du Non est bien orchestrée, les fédéralistes, eux, multiplient les faux pas. En lançant en grande pompe la campagne à Toronto avec comme seul slogan un gigantesque « *YES* », les fédéralistes envoient bien malgré eux un message clair aux Québécois francophones. Ceux-ci peuvent difficilement se reconnaître dans ce que les stratèges du camp fédéral s'évertuent à présenter comme un simple logo !

Les gouvernements mettent deux semaines à distribuer le texte de l'entente de Charlottetown, alors que le comité du Non a déjà distribué sa brochure annotée dans tous les foyers québécois!

On se souvient également de la conversation téléphonique entre Diane Wilhelmy et André Tremblay, deux proches conseillers constitutionnels de Bourassa, qui déploraient que ce dernier se soit « écrasé » durant les négociations.

Des erreurs des uns aux bons coups des autres, il faut noter que Lucien Bouchard et Jacques Parizeau forment une belle équipe. L'union des forces du Bloc et du PQ nous permet de mener une campagne d'une grande visibilité et d'une efficacité redoutable. En faisant circuler partout une copie annotée de l'entente, nous mettons le gouvernement dans l'obligation de défendre ce qui représente un recul éhonté par rapport aux demandes de Meech.

Que devons-nous retenir de la campagne référendaire de 1992? Encore une fois, le Québec s'est exprimé d'une seule voix, avec les mêmes échos qu'aux lendemains de Meech. Le Québec a dit, fermement et distinctement, non à la volonté d'Ottawa de construire un pays où il n'aura pas la place qui lui revient. Le Bloc fait la preuve, une fois de plus, que ses députés parlent au nom de la grande majorité de la population et défendent ses intérêts mieux qu'aucun autre parti fédéral.

Pendant et juste après la campagne référendaire, les nouveaux membres affluent au Bloc et les candidats aux prochaines élections sont légion. En somme, la campagne de Charlottetown nous a permis de bien préparer les élections de 1993... et la victoire.

La bataille de Charlottetown se solde par au moins deux changements majeurs sur les scènes politiques québécoise et canadienne. D'abord, elle permet au Bloc de consolider ses assises et d'augmenter son membership, tout en fouettant le moral des troupes en vue du prochain rendez-vous électoral. Ensuite, l'approbation de l'accord de Charlottetown par Robert Bourassa signifie la fin du consensus issu de la commission Bélanger-Campeau. L'accord contribue aussi à enterrer définitivement le rapport Allaire, donnant ainsi naissance, politiquement, à Mario Dumont et à l'Action démocratique. L'échiquier politique québécois se redéfinit, renforçant du même coup la nécessité pour le Bloc de rester à Ottawa afin d'y mener la lutte souverainiste.

Cette campagne me donne la chance de militer dans toutes les régions du Québec et de faire des rencontres exceptionnelles. Je fais connaissance avec nombre de ceux et celles qui deviendront candidats ou députés aux élections de 1993. Je me souviens d'une tournée au Saguenay–Lac-Saint-Jean où j'ai pu constater les grands talents d'orateur de notre futur leader parlementaire, puis chef, Michel Gauthier. Député du Parti québécois dans Roberval entre 1981 et 1988, Michel était un candidat de très haut niveau dont nous étions très fiers.

La veille du référendum de Charlottetown, Lucien Bouchard conclut son discours en déclarant: « L'avenir commence par un NON. » Notre victoire, le 26 octobre 1992, marque pour moi un grand tournant.

CHAPITRE IV

Nouveaux horizons : de l'opposition officielle au départ de Lucien Bouchard

Les élections de 1993 : le Bloc bien en selle

L A PRÉPARATION DES ÉLECTIONS DE 1993 commence donc dans la foulée de notre victoire au référendum sur l'accord de Charlottetown. Dès le lendemain du référendum, l'organisation se met en branle. Bob Dufour orchestre la campagne électorale. Un conseil général se tient le 6 décembre 1992 en vue de préparer le parti au rendez-vous électoral prévu dans quelques mois, tout au plus. Le gouvernement de Brian Mulroney est en effet entré dans la cinquième année de son deuxième mandat.

Fort de nos récents succès, nous sommes « gonflés à bloc ». La première assemblée d'investiture a lieu dans le comté d'Ahuntsic, au nord de l'île de Montréal, en février 1993. Plus de 600 partisans sont réunis.

Lucien Bouchard fait preuve de clairvoyance en promettant que le Bloc sera le parti fédéral qui comptera le plus de députés du Québec.

Les assemblées se succèdent. Les candidats affluent et des centaines de nouveaux membres sont recrutés. Le Bloc vient de doubler son membership. Certaines assemblées attirent jusqu'à 2000 participants et il n'est pas rare de voir 3 ou 4 personnes se disputer le titre de candidat.

Malgré l'engouement indéniable pour le Bloc et les sondages favorables, nous traversons parfois des moments difficiles. Je pense, par exemple, à cette assemblée générale dans Compton-Stanstead, un dimanche matin de novembre 1992. Quand je me présente dans la salle, je compte huit personnes. Pas une de plus. Découragé, j'ai d'abord envie de m'en aller. Mais je reste et j'encourage les militants à poursuivre leur travail. Dix mois plus tard, Maurice Bernier remporte le comté au nom du Bloc. La pente a été longue et ardue, mais jamais nous n'avons lancé la serviette.

Cette expérience est une véritable leçon. Je comprends que rien n'est jamais acquis, ni la victoire ni la défaite. Même si les sondages sont positifs, il faut poursuivre sans relâche l'effort de mobilisation. Je mets d'ailleurs cette leçon à profit, en juillet 1998. À la faveur du départ de Jean Charest de la scène fédérale, le premier ministre Chrétien déclenche des élections partielles dans Sherbrooke. Seulement six personnes sont présentes à la première rencontre de l'association de comté du parti! Je leur rappelle l'anecdote de Compton-Stanstead et le dénouement heureux qui s'en est suivi. L'histoire se répète car, le 14 septembre 1998, Serge Cardin y remporte l'élection complémentaire sous la bannière du Bloc.

Peu importe le nombre de participants à une assemblée, aucune rencontre, aucun effort, aucun sacrifice ne sont vains alors qu'on est en campagne. Tôt ou tard, le moindre effort rapportera quelque chose.

Des campagnes de financement aux assemblées d'investiture, sans oublier le travail en Chambre à Ottawa, j'ai évidemment un horaire très chargé. Durant la campagne électorale, je sillonne le Québec. J'ai toujours été friand de ces tournées. Elles me font découvrir mon pays, bien sûr, mais elles me permettent aussi de repasser sur les traces de mon père. Il a lui-même tellement sillonné les routes du Québec et nous en a tellement parlé. Dans certaines villes, je crois reconnaître l'hôtel où il est descendu, une église ou tout autre lieu qui me rappelle un détail dont il nous a entretenu.

On a choisi comme slogan électoral : « On se donne le vrai pouvoir », ce qui ne manque pas de culot, surtout pour le seul parti en lice à ne pouvoir prétendre au pouvoir ! La loi électorale ne nous favorise pas. Avec huit députés en Chambre, nous ne disposons que de cinq minutes de temps d'antenne gratuit mis à la disposition des partis par la chaîne française de Radio-Canada (comparativement à 116 pour les conservateurs et 78, pour les libéraux). Par contre, nos couleurs sont visibles partout : sur les autobus, les poteaux de signalisation ou les balcons. Des prophètes de malheur prédisent un effondrement de nos appuis. C'est faire abstraction de la fièvre souverainiste qui a gagné le Québec.

Février 1993. J'ai le sentiment que nous nous dirigeons vers une victoire très nette. Au cours d'une discussion avec Gilles Rocheleau, je prédis que nous ferons faire élire 56 députés et que nous formerons l'opposition officielle. Gilles me trouve bien optimiste. Au cours d'une soirée bénéfice, à dix jours des élections, je répète ma prédiction. De nouveau, le scepticisme.

Le soir des élections, le 25 octobre 1993, nous récoltons 54 sièges! L'étendue de la débâcle conservatrice me renverse; je leur accordais au pire une quinzaine de députés. Chose certaine, et c'est vrai depuis toujours, les conservateurs n'auront été populaires au Québec qu'avec le soutien des nationalistes: Diefenbaker, appuyé par Duplessis; Mulroney, et le «beau risque» appuyé par René Lévesque. Le vote nationaliste et souverainiste, cette fois-ci, se déplace tout entier vers le Bloc. La candidature pour le Bloc dans Sherbrooke de l'ancien directeur de campagne de Jean Charest, Guy Boutin, permet de mesurer l'ampleur de la désaffection de l'électorat pour les conservateurs au Québec.

Nous formons donc l'opposition officielle et nous nous considérons comme les véritables gagnants de l'élection. Du coup, toute l'attention politique et médiatique se tourne vers nous. Dans l'histoire politique récente du Canada, aucun parti d'opposition n'a plus intensément été l'objet de l'attention publique. Scruté, critiqué, parfois insulté ou ridiculisé, le Bloc est devenu, au lendemain de ces élections, l'ennemi public numéro un pour certains, ou l'instrument d'un formidable espoir collectif pour d'autres.

Le Bloc compte alors quelque 110 000 membres (dont une grande partie ne sont pas membres du PQ) et sa caisse électorale affiche un léger surplus au lendemain des élections. Du jamais vu ou presque!

Au lendemain de notre victoire, Jacques Parizeau désigne les nouveaux temps forts de la prochaine joute référendaire. Reprenant l'image d'un match de hockey, il divise le chemin menant à la victoire finale en trois périodes. La première : faire élire le Bloc en force à Ottawa. La deuxième : faire élire un gouvernement péquiste aux prochaines élections provinciales (qui doivent avoir lieu moins d'un an plus tard). La troisième : organiser et remporter le référendum.

De nouvelles fonctions

Devenus le point de mire de tout le pays, nous devons faire preuve d'une discipline irréprochable et d'une attitude responsable et moralement exemplaire. Travail, rigueur et discipline sont nos mots d'ordre.

Quand Pierre-Paul Roy et Bob Dufour viennent me parler du rôle que je vais jouer au sein du parti, je leur déclare avec aplomb :

— Pour le poste de whip, c'est non !

Je n'en démords pas. Le rôle de whip signifie « faire la discipline » auprès de plus anciens que moi, notamment d'ex-députés conservateurs qui sont passés au Bloc. Lucien Bouchard me rencontre pour me faire comprendre que je dois (il n'a pas besoin d'insister bien longtemps sur ce verbe) accepter ce poste. Je m'y résigne, non sans appréhensions.

Pour l'heure, il est urgent de nous organiser pour remplir notre nouveau rôle d'opposition officielle. Les dossiers ne manquent pas et maintenant que nous avons le privilège de donner le ton à la période des questions, nous n'allons pas laisser passer notre chance. Plus tard, quand certains de nos adversaires diront que nous avons peut-être formé la meilleure opposition officielle au parlement fédéral, j'aurai la fierté de constater que tous nos efforts et nos sacrifices auront contribué à mettre en valeur notre cause.

Le titre d'Opposition officielle confère plusieurs avantages, dont les indispensables budgets de recherche. Le gouvernement, lui, peut compter sur des armées de fonctionnaires qui lui fournissent l'information dont il a besoin, tandis que l'opposition doit se contenter d'une poignée de recherchistes.

Avec la victoire du Parti québécois aux élections provinciales de septembre 1994, la «deuxième période» du match référendaire vient de prendre fin, encore une fois à l'avantage des souverainistes. Il nous reste maintenant à nous préparer pour la troisième et dernière période : le rendez-vous référendaire.

La maladie de Lucien Bouchard

Un événement dramatique va cependant jeter la consternation parmi toute la classe politique et dans la population québécoise et canadienne. Le jeudi 30 novembre 1994, nous apprenons que Lucien Bouchard est à l'hôpital, entre la vie et la mort, après avoir contracté la terrible maladie causée par la «bactérie mangeuse de chair».

Il semblait pourtant en très grande forme au conseil général du Bloc, le week-end précédent, au Mont Sainte-Anne, et avait même ouvert la danse le samedi soir avec la députée de Rimouski-Mitis, Suzanne Tremblay.

Cette journée commence pourtant bien. Mon fils, Alexis, est en congé scolaire à Ottawa avec moi ; il en profite pour m'aider. Nous passons donc la matinée ensemble. Après la lecture minutieuse des journaux et la préparation des questions, viennent la réunion du caucus et la période de questions. Je l'invite ensuite au gymnase du parlement. Après un moment, un agent de sécurité fait irruption pour m'annoncer que j'ai un appel urgent. Je suis bouleversé : j'apprends que Lucien Bouchard est à l'hôpital dans un état extrêmement critique et qu'on vient de lui amputer une jambe pour contrer la progression de la bactérie.

Assailli par les journalistes, je ne peux qu'inviter nos députés à rester sur place à Ottawa pour assurer le traitement des affaires courantes. Nous attendons tous d'autres nouvelles.

Je reste en poste tard dans la nuit. Consterné. Accablé. Paralysé. Imaginant les pires scénarios. Me rappelant nos meilleurs moments ensemble. Me représentant les angoisses d'Audrey, sa femme. On m'apprend que les chances de survie de Lucien diminuent sans cesse. Je suis découragé. J'appelle Yolande et nous tentons de nous réconforter mutuellement.

J'ai compris par la suite que toute la population du Québec avait été bouleversée par le drame. Partout, dans chaque foyer, chaque dépanneur, chaque bureau, chaque taxi, on parlait avec grande émotion de l'épreuve que vivait Lucien Bouchard.

Le lendemain, levé très tôt, j'attends impatiemment le nouveau bulletin de santé. Mon soulagement est indescriptible quand j'apprends que ses chances de s'en sortir sont maintenant excellentes. La nouvelle se répand et, plus tard en Chambre, c'est dans un geste unanime que tous les parlementaires rendent un vibrant hommage à Lucien Bouchard. Peu avant midi, un communiqué annonce que notre chef est désormais hors de danger.

Je rends visite à Lucien Bouchard à l'hôpital le 22 décembre, jour de son anniversaire de naissance. Je lui offre la biographie de Roosevelt qui, même atteint de polio, a été élu quatre fois président des États-Unis.

Je suis frappé par sa détermination et son courage. Avant d'entrer en clinique de réadaptation, il demandera quelle est la période la plus courte pour réapprendre à marcher dans un cas comme le sien et il enchaînera en promettant de battre ce record. Début janvier, il amorce sa réhabilitation. Son objectif est de marcher de nouveau, pour la visite du président américain, Bill Clinton, les 23 et 24 février. Il remporte son pari.

Cet exemple de courage et de ténacité ne manque pas de nous inspirer, comme il inspire très certainement l'ensemble des Québécois. Sur un plan beaucoup plus pragmatique, le Bloc doit revoir temporairement sa structure. Michel Gauthier dirige les affaires parlementaires et je m'occupe des affaires extra-parlementaires.

Un virage

Le congrès du Bloc, qui se tient en avril 1995, marque un virage important. Dans les semaines précédentes, un petit groupe, dont je fais partie, discute de la nécessité de négocier une entente de partenariat avec le Canada. Nous estimons en effet que l'ensemble de la population québécoise désire conserver des liens avec le Canada et nous souhaitons présenter une proposition de partenariat entre le Québec souverain et le Canada au moment du congrès. Bien que cette proposition ne corresponde pas à la stratégie politique de

Jacques Parizeau, celui-ci ne manifeste aucun désaccord quand nous la lui soumettons.

Nous sommes confiants que notre proposition sera bien accueillie au congrès : elle prend d'autant plus d'importance qu'on parle alors d'un référendum au printemps ou au début de l'été. Au congrès, je prends la parole pour expliquer les enjeux de ce changement à nos délégués. Lucien Bouchard livre ensuite son discours en insistant sur l'importance de tenir un référendum gagnant. La proposition est finalement acceptée par près de 90 % des délégués.

À notre grand étonnement, Québec ne semble guère favorable à notre position. Pendant un moment, nous craignons même une rupture au sein du mouvement souverainiste, entre le Bloc et le PQ. Mais la menace ne se concrétise pas et l'unité est renforcée à mesure que la date du référendum se précise.

Un point tournant de la stratégie référendaire se joue au moment de la signature par Lucien Bouchard, Mario Dumont et Jacques Parizeau de « l'entente du 12 juin 1995 ». L'entente précise les enjeux du référendum : faire du Québec un pays souverain et proposer un partenariat économique et politique avec le Canada. Une seule voix se fait entendre. Et tous les espoirs sont permis à l'aube de la pause estivale.

Nous sommes maintenant prêts pour la « troisième période ».

Le grand rendez-vous

Dès les premiers jours de la campagne référendaire, à l'automne 1995, nous devons définir la meilleure stratégie : mener le combat en Chambre, à

Ottawa, ou être présents sur le terrain, au Québec? Comme la session parlementaire vient de débuter, nous optons pour la première solution. Nous voulons forcer le gouvernement libéral de Chrétien à tenir de vrais débats sur les questions que nous soulèverons. Le résultat est décevant, car les libéraux se défilent constamment. Ils esquivent les questions. Nous frappons un mur de silence.

Mais il y a plus: l'option souverainiste plafonne à 40% dans les sondages. Nous sommes par moments découragés. C'est alors que Jacques Parizeau nomme Lucien Bouchard «négociateur en chef de la souveraineté». Dans ce rôle, il intervient davantage au Québec et sur le plan médiatique.

Ce que je vois, au cours des assemblées politiques, ressemble à une véritable vénération. L'«effet Bouchard», comme on l'a appelé, est bien réel et positif, sans doute parce qu'il incarne le changement.

Dans les derniers jours de la campagne, l'espoir grandit. Amorcée dans une certaine inquiétude, l'épreuve référendaire finit dans un vertige qui nous laisse tout espérer.

Je ne reviendrai pas sur les résultats du référendum du 30 octobre 1995[1], mais je me permettrai deux ou trois remarques sur le vote extrêmement serré par lequel il s'est soldé. À tous ceux qui ont pu dire au lendemain du vote qu'il valait mieux avoir perdu par une si petite marge que de se retrouver gagnant par la même marge, je ne peux répondre qu'une chose: mince ou éclatante, je préférerai toujours la victoire à la défaite. Et pour ceux qui voudraient contester une victoire qui repose sur le principe du 50% plus un, je

---

1. Le Non l'a emporté avec 50,6% du vote, le Oui récolta 49,4%.

ne peux que les renvoyer au principe fondamental de la démocratie et à la définition de majorité *absolue* telle qu'elle apparaît dans le dictionnaire.

La différence la plus importante entre le référendum de 1980 et celui de 1995 est certainement la participation active de la société civile, c'est-à-dire de groupes communautaires, syndicaux, de femmes, et de regroupements nationalistes à la campagne.

Formant les « Partenaires pour la souveraineté », ces groupes faisaient la preuve que le projet souverainiste n'était pas la propriété exclusive des partis politiques et que, au contraire, l'ensemble de la société québécoise s'impliquait dans la définition et la construction de ce nouveau pays. La participation au référendum des Partenaires pour la souveraineté a été rendue possible par un long et patient travail de tous ces groupes, du PQ et du Bloc, au sein de Mouvement-Québec entre les années 1991 et 1993. Outre les Partenaires pour la souveraineté, de nombreux groupes de la société civile ont été actifs. En tant que vice-président de Mouvement-Québec, j'ai eu l'occasion de faire plusieurs tournées au Québec. J'aime ces tournées car elles nous enrichissent de l'expérience des militantes et militants de toutes les régions. Elles nous permettent d'échanger avec des hommes et des femmes de différents horizons et de découvrir à chaque fois les beautés du paysage québécois. Une tournée, c'est l'oxygène en politique qui nous aide à poursuivre le combat pour notre projet collectif.

L'un des éléments les plus extraordinaires de cette campagne, et c'est en bonne partie les journalistes étrangers qui m'ont permis d'en prendre conscience, est le formidable climat de sérénité dans lequel elle s'est déroulée. Des affiches du Oui et du Non cohabitent sur le même lampadaire ou sur le même immeuble sans que l'on voit de vandalisme. Des voisins ramassent les feuilles mortes ensemble, alors que l'un a une affiche du Oui devant sa porte et l'autre, une affiche du Non à son balcon. Les représentants des médias étrangers sont surpris. Dans son discours au soir de la défaite, Lucien Bouchard parle de victoire de la démocratie avec un taux de participation exceptionnel de 94 %.

La démocratie triomphe et la souveraineté, elle, se porte mieux que jamais. Depuis que Trudeau a prédit la mort du mouvement souverainiste, avant les élections de 1976, le Parti québécois a été élu quatre fois. À la veille du référendum de 1995, Jean Chrétien promet une terrible défaite aux souverainistes. Le soir du vote, le Canada est en état de choc. Au cours des 35 années de carrière politique de Jean Chrétien, les appuis à la souveraineté sont passés de 8 % à 49,4 %.

Cherchant à tirer profit de la démobilisation post-référendaire, le Canada tente, avec la déclaration de Calgary, de régler une fois pour toutes la question de l'unité canadienne. Cependant, cette insignifiante déclaration ne répond à aucune des revendications historiques du Québec, et n'a aucune portée constitutionnelle.

Le départ de Parizeau, l'arrivée de Bouchard à Québec

On n'aura pas le temps de réfléchir trop longtemps à la défaite référendaire ou de dresser de savantes analyses. Une fois de plus, l'actualité ne va pas tarder à tout bousculer. Le 31 octobre, lendemain du référendum, Jacques Parizeau annonce sa démission, devenue prévisible notamment en raison de sa déclaration très critiquée sur le « *vote ethnique* » après les résultats référendaires officiels. Dès lors, les rumeurs envoient Lucien Bouchard à Québec. Le scénario est trop évident pour qu'il ne se réalise pas. Bouchard s'accorde une période de réflexion en novembre.

Le départ imminent de Bouchard signifie, pour ceux qui restent, de nombreuses questions à prendre sur l'avenir immédiat du Bloc. Lorsqu'il annonce sa décision, le Bloc perd son premier chef de parti; un élément capital nous quitte.

L'heure des décisions va maintenant sonner.

CHAPITRE V

Trois chefs

L'après-Bouchard

LE DÉPART DE LUCIEN BOUCHARD laisse un vide énorme au sein du parti et ébranle ses bases mêmes. Mes amis Pierre-Paul Roy et Bob Dufour, de même que François Leblanc et d'autres collaborateurs le suivent d'ailleurs à Québec.

Quelques jours plus tard, Michel Gauthier me dit qu'il me revient de lui succéder. Je lui fais part de mes réticences : mon rôle de whip a suscité des inimitiés avec quelques députés. Bien entendu, il est impossible d'empêcher la machine à rumeurs de faire son œuvre, d'autant plus que ma décision, à ce moment-là, n'est pas encore complètement arrêtée.

La candidature de Michel Gauthier est aussi pressentie. Je l'appuie sans réserve. Dans l'intervalle, j'occupe le poste de chef intérimaire et vois la réorganisation générale du parti. Je dois notamment rebâtir notre équipe de collaborateurs.

Michel Gauthier devient officiellement chef du Bloc à la mi-février 1996. Les choses se déroulent assez bien jusqu'en juin. Notre position dans les sondages est bonne. Pourtant, l'atmosphère se détériore au sein du parti et nous allons bientôt faire la pénible expérience de la division qui peut s'installer entre les membres d'une organisation.

Sous la direction de Michel Gauthier, le Bloc défend avec succès plusieurs dossiers importants, dont le transfert des compétences en matière de formation de la main-d'œuvre et le très médiatisé dossier au sujet du fromage au lait cru. Toutefois, le parti est miné par des querelles et Michel remet sa démission avant la fin de l'année.

Durant ces moments difficiles, on m'a accusé dans les médias d'être l'instigateur d'un *putsch*. Cela m'a profondément blessé, car bien que j'aie eu des divergences avec Michel, jamais je n'ai trempé dans quelque complot que ce soit. Avec le recul, il me semble qu'au-delà des manigances de certains, toutes ces histoires et ces tensions trouvent d'abord leur explication dans le climat qui s'est installé au sein du mouvement souverainiste après la quasi-victoire (mais défaite indéniable) du référendum de 1995.

De nouveau, la machine à rumeurs repart. On parle de Guy Chevrette pour succéder à Michel Gauthier ; le suspense dure jusqu'à ce que le principal intéressé se désiste. Une autre rumeur envoie Jacques Parizeau à Ottawa. Bouchard à Québec, Parizeau à Ottawa : les deux auraient tout simplement échangé leur siège !

Yves Duhaime est le premier à annoncer officiellement sa candidature. Daniel Turp suit, puis Rodrigue Biron. Je me décide à mon tour ; Francine Lalonde et Pierrette Venne en font autant peu de temps après. Dès le début, les sondages me sont favorables. Malheureusement, la campagne s'annonce féroce. Lorsque des luttes intestines déchirent un parti, les débats s'enflamment rapidement et prennent rapidement des dimensions émotives. Les coups assénés par un frère ou une sœur blessent davantage que ceux qui viennent d'un voisin. Amorcée en décembre, la campagne se termine en mars. Pendant tout ce temps, les médias ne ratent pas une occasion de rapporter les remarques les plus assassines. C'est leur droit. Nous sortirons tous épuisés, affaiblis et meurtris de cet exercice beaucoup trop long.

Élu par une bonne marge, je décide de m'attaquer aussitôt à la reconstruction du parti. Je n'en ai pas moins commis une bévue — que j'ai reconnue trop tard — en ne nommant pas Michel Gauthier comme leader parlementaire. C'est une situation que je m'empresserai de réparer à la première occasion. Cela m'aura, au moins, permis d'en tirer une leçon. Le métier de chef, ça s'apprend! Mais Jean Chrétien ne m'en laisse pas le temps.

Les élections de 1997

Chrétien annonce en effet un scrutin général moins de six semaines après notre course à la chefferie, alors que rien ne l'y oblige (il a été élu il y a trois ans et demi seulement); il vise clairement à affaiblir le Bloc.

Nous sommes pris de court: le Bloc se remet difficilement de la course à la direction, les caisses ne sont pas très bien garnies et le programme n'est pas prêt. Il faut de toute urgence organiser une campagne publicitaire, trouver un slogan, faire imprimer des affiches, tenir des assemblées d'investiture. Bref, tout est à faire.

La campagne débute de façon improvisée. Elle prend vite les allures d'un cauchemar qui se déroule au ralenti. Un cauchemar qui reste inscrit dans ma mémoire comme l'une des pires épreuves de ma vie politique.

De toute évidence, malgré un programme politique étoffé et une campagne de publicité efficace sur le thème : « Le Bloc est là pour vous ! » l'équipe n'est pas prête. Nous en aurons la confirmation sous la forme la plus cruelle qui soit : être tournés en ridicule. La visite d'une fromagerie de Sorel, dans les premiers jours de la campagne, inspirera longtemps les caricaturistes à cause du bonnet qu'on m'avait obligé de porter. Mais il y a plus : le choix de cette fromagerie n'était guère judicieux puisque le propriétaire, tout bon gestionnaire qu'il soit, était un adversaire farouche des fromages au lait cru ! Plus tard, on m'amènera visiter l'École vétérinaire de Saint-Hyacinthe. Cette fois, on a oublié un petit détail : les étudiants sont en vacances !

La seule image qui me vient à l'esprit, pour décrire mon moral durant la campagne, est l'histoire du boxeur à qui l'on dit, au cours d'un combat où il reçoit plus de coups qu'il n'en donne : « Ne t'inquiète pas, tout va bien, ton adversaire ne te touche même pas » ; et le boxeur répond : « Alors surveille bien l'arbitre, parce qu'il y a quelqu'un qui me frappe, c'est sûr ! »

Si je suis capable de relater cette période pénible de ma vie avec un certain humour, c'est grâce au recul, qui panse bien des plaies, mais surtout au goût retrouvé de la lutte politique. Une épreuve étant d'abord et avant tout un test, mon travail quotidien et l'excellente santé du Bloc aujourd'hui me confirment que je l'ai réussi.

Parmi les éléments positifs qui m'ont redonné peu à peu confiance, je retiens la lecture d'une biographie de Daniel Johnson père. En voilà un qui a encaissé bien des coups et qui s'est toujours relevé. Son exemple a produit chez moi une émulation certaine. Mais plus que ce livre, c'est le soutien et la présence soutenue et indéfectible de Yolande qui m'ont le plus aidé.

□

Yolande est ma compagne depuis plus de 23 ans. Originaire elle aussi d'Hochelaga-Maisonneuve, c'est une femme déterminée, fière de ses racines et se battant depuis longtemps pour plusieurs causes. Enseignante, elle a été aussi commissaire scolaire à la CECM sous la bannière du MEMO. Militante aguerrie, Yolande est dotée d'un esprit critique qui me force à préciser mes opinions et à les clarifier. Sans sa franchise, sa solidarité et son amour, je n'aurais probablement pas survécu à la tempête de la campagne de 1997. On ne peut que sortir plus fort d'une telle expérience, à condition, justement, d'en sortir ! Actuellement, Yolande est conseillère pédagogique à la commission scolaire de la Pointe-de-l'Île. Mes enfants, Amélie et Alexis, ont été eux aussi d'un grand soutien. Les gens ne savent pas à quel point la vie publique peut parfois être cruelle pour les proches, pas plus qu'ils ne mesurent l'importance pour les personnes en politique du soutien et de l'amour de la famille et des amis.

Amélie et Alexis sont notre fierté à Yolande et à moi. Des liens très forts les unissent, même s'ils sont nés de mères différentes. En fait, je n'ai jamais vu de frère et de sœur si solidaires et si complices.

Amélie a maintenant 26 ans. Diplômée de l'UQAM en cinéma, elle parle couramment trois langues (français, anglais, espagnol) et se débrouille en allemand. Son copain, David, travaille aussi dans le milieu du cinéma. Elle a voyagé un peu partout dans le monde et travaille pour de grandes productions.

Son frère Alexis a terminé ses études au Cégep de Jonquière en communications. Lui aussi parle trois langues (français, anglais, espagnol) et se retrouve dans le milieu artistique: comme quoi l'héritage familial perdure. Grand voyageur également, il a trouvé l'amour au Lac–Saint-Jean. Mylène, sa copine, étudie à l'UQAM. Il est actuellement l'assistant d'Amélie sur les plateaux de cinéma. S'il est une chose que nous pouvons affirmer avoir réussi, Yolande et moi, c'est certes d'avoir éduqué (dans le plein sens du mot) deux enfants extraordinaires qui, maintenant adultes, envisagent la vie avec optimisme et sérénité.

☐

En bout de course, le 2 juin 1997, nous faisons élire 44 députés. Objectivement, c'est un recul, car nous étions 51 au moment de la dissolution de la Chambre et 54 lors de l'élection de 1993. Après une campagne comme celle que nous venons de traverser, on peut presque parler de victoire. Sans compter que nous avons obtenu 38 % des voix, exactement le même pourcentage que donnaient les sondages au début de la campagne. C'est donc dire que la diminution des suffrages par rapport à l'élection de 1993 s'est produite avant le déclenchement des élections. J'en conclus que c'est la course à la chefferie qui nous a coûté le plus cher en laissant l'image d'un parti divisé.

D'autres facteurs peuvent aussi expliquer ce résultat : le mécontentement de certains souverainistes à la suite des compressions budgétaires du gouvernement péquiste, la remontée de Jean Charest, alors chef du parti conservateur, dans l'opinion publique, et l'absence d'un chef charismatique comme Lucien Bouchard. Enfin, il faut tenir compte de la nature provisoire du Bloc, qui doit gagner la confiance des électeurs à chaque élection, sans pour autant leur offrir l'attrait (parfois surestimé) du pouvoir.

Après une élection générale, l'unité du parti reste toujours à faire. Les dernières batailles sont autant de fissures sur notre embarcation. Le Bloc, navire orphelin après le départ de Lucien Bouchard, puis véritable *Bounty* ingouvernable après celui de Michel Gauthier, prend l'eau, et les conditions de navigation sont plutôt houleuses. Si j'en juge par la situation actuelle du Bloc, nous avons fini par former un excellent équipage !

Refaire l'unité du parti

J'ai maintenant la lourde tâche de rebâtir le parti.

Quand, en novembre, durant la semaine de relâche parlementaire, les médias font dire à Michel Gauthier que le Bloc Québécois devrait disparaître, une autre controverse pénible naît.

La tension entre les membres du parti atteint son comble. C'est peut-être dans ces instants décisifs que le destin se joue. « Ça passe ou ça casse », comme le veut l'expression consacrée. En prenant publiquement la défense de Michel, au caucus et devant les médias, et en insistant sur son rôle capital au sein au parti, je crois humblement avoir redonné une certaine unité au parti et clairement assis mon leadership. Michel me l'a confirmé plus tard : le 4 juin 1997, quand je l'ai nommé leader parlementaire au lendemain des élections, nous avons signé, sans en parler, un pacte de confiance mutuelle.

Mais c'est en novembre que pour la première fois nous nous sentons aussi proches, que nous mettons à l'épreuve ce pacte et cimentons notre confiance réciproque qui ne s'est jamais démentie depuis.

Plus tard, cette confiance s'est transformée en véritable amitié. Au printemps 2000, alors qu'il sortait de table d'opération après une chirurgie cardiaque, il m'a téléphoné pour me donner de ses nouvelles. J'ai alors vraiment ressenti que notre relation professionnelle était devenue une relation d'amitié.

Bref, après novembre 1997, une période agitée prend fin et une nouvelle ère débute.

Le caucus décide de tenir une « retraite » pour ramener l'harmonie et créer parmi les membres un sens d'unité et de solidarité. Tous et toutes peuvent faire des suggestions et exprimer leurs frustrations. Nous nous entendons sur de nouveaux *modus operandi* qui permettront à tous de contribuer au travail de l'équipe parlementaire. Ce moment de vérité, qui est passé dans notre histoire interne sous le nom de « Chéribourg », demeure un point tournant de notre action politique à Ottawa et a contribué aux succès remportés par notre parti depuis 1997.

Le goût retrouvé de la politique

Dans la foulée de ce que René Lévesque a voulu faire au début des années soixante-dix, je décide de porter le message souverainiste chez nos voisins et futurs partenaires canadiens. J'estime que nous n'avons pas assez été présents sur ce terrain depuis 1976, à nos dépens d'ailleurs. À la fin de 1997, nous entreprenons la première tournée d'envergure d'un parti souverainiste dans l'Ouest canadien. Elle permet d'amorcer le débat sur les manœuvres d'Ottawa visant à renvoyer la question référendaire devant la Cour suprême.

Nous visitons Calgary, Vancouver et Victoria. En cinq jours, nous multiplions les entrevues dans les médias et les rencontres individuelles ou en groupe (étudiants, chambres de commerce, syndicats, gouvernements, le Fraser Institute, la Canada West Foundation, l'Université de Calgary, etc.). Cette tournée bien préparée me fait presque oublier notre dernière mésaventure électorale. Je suis heureux de pouvoir compter sur une équipe aussi efficace.

Nous rencontrons notamment Gordon Wilson, à ce moment-là chef de l'Alliance progressiste-démocratique et conseiller constitutionnel du premier ministre de Colombie-Britannique, Glen Clark. Wilson (actuellement ministre de l'Emploi et de l'Investissement) reconnaît publiquement que le Québec peut négocier un partenariat avec le Canada, si ce désir est celui d'une majorité de Québécois. Inutile de dire que cet appui est abondamment commenté.

Pour la première fois depuis des mois, le vent tourne : nous ne faisons plus les manchettes à cause de nos erreurs ou de nos luttes intestines. Et surtout, nous remplissons pleinement le mandat que nous nous sommes donné avec la fondation du parti : défendre le Québec devant le reste du Canada. Cet objectif est absolument indispensable pour la négociation d'un partenariat. Ce premier voyage sera suivi de plusieurs autres, autant dans l'Ouest que dans les Maritimes.

Aller au front : devant la Cour suprême

Pour Ottawa, l'application du fameux « plan B » a commencé. En choisissant de renvoyer devant les instances juridiques un projet politique pour en attaquer la légitimité, Ottawa fait plus que déterrer la hache de guerre : il sort l'artillerie lourde. Jean Chrétien et Stéphane Dion ne font pas dans la subtilité en cautionnant politiquement, par leur action, les dérapages politico-juridiques de Guy Bertrand.

Forts de notre confiance retrouvée, nous nous mobilisons pour répondre à ce nouvel affront. La lutte ne fait que commencer. Les enjeux sont fondamentaux : il s'agit, pour le Québec, d'affirmer que seuls les Québécois peuvent décider de leur sort. Nier au Québec sa compétence de déclarer son indépendance, même si c'est l'expression de la majorité de la population, est une atteinte aux règles les plus élémentaires de la démocratie. En déplaçant le débat sur le terrain juridique, Ottawa confie à des juges non élus, choisis par lui, de prendre des décisions d'ordre politique auxquelles il se soustrait.

Déjà en septembre 1997, les députés du Bloc avaient défilé devant le parvis de la Cour suprême. J'avais déclaré à cette occasion : « Jamais une cour de justice ne pourra se substituer à la volonté d'un peuple qui s'exprime démocratiquement. Jamais une cour ne pourra imposer à toute une nation une voie qu'elle n'a pas choisie. »

Quand le cardinal Jean-Claude Turcotte déclare que c'est «au peuple de décider et non pas à la Cour suprême»; quand Claude Ryan afirme en gros la même chose, appuyé par le chef du Parti libéral du Québec, Daniel Johnson, il est clair que ce combat pour la démocratie n'est pas que la responsabilité des seules forces souverainistes du Québec.

En février 1998, nous entreprenons une nouvelle série de démarches pour bien faire connaître notre position tout en recherchant, partout au Québec et au Canada, de nouveaux appuis. Et ils viendront en nombre impressionnant, avec la participation de Pierre-Claude Nolin, sénateur conservateur, Jean-Claude Rivest et André Tremblay, deux anciens conseillers de Robert Bourassa, qui se joignent au groupe de pression Pro-Démocratie. De nouveau, on retrouve l'esprit de la coalition arc-en-ciel qui a présidé à la fondation du Bloc.

La manifestation surprise organisée par le Bloc Québécois sur le parvis de l'édifice de la Cour suprême en février 1998 remporte un succès médiatique indéniable. Des députés du Bloc parcourent ensuite le Canada dans tous les sens. La mobilisation est totale et trouve son point culminant le 20 février 1998, au Palais des Congrès. Lucien Bouchard, Jacques Parizeau, Gérald Larose, Guy Bouthillier, de la Société Saint-Jean-Baptiste de Montréal, et moi-même prenons la parole pour réaffirmer notre opposition au renvoi devant la Cour suprême. Louise Marleau anime la soirée, accompagnée de son mari, le chanteur Claude Dubois. De nouveau, la ferveur nationaliste se manifeste.

En février 1998, alors que le Québec se relève à peine de la grave crise du verglas, Daniel Johnson fils démissionne. Les rumeurs ne tardent pas à convertir

Jean Charest en libéral et à l'envoyer à Québec. Quand enfin il annonce sa décision, je le mets en garde contre ses « nouveaux amis ». L'avenir me donne raison, puisque peu de temps après, Jean Chrétien ordonne une élection partielle dans Sherbrooke, qui ne donne pas au Parti conservateur le temps de s'organiser.

Un an plus tard, au moment du déclenchement des élections provinciales, Chrétien ferme la porte à tout renouvellement de la Constitution (« le magasin général est fermé », déclare-t-il), offrant une bien piètre perspective à Jean Charest et au parti libéral « frère » ! En fait, cette déclaration du premier ministre Chrétien est perçue, tant au Québec qu'au Canada, comme un véritable coup de poignard dans le dos du chef libéral du Québec, qui avait amorcé la campagne avec une bonne avance dans les sondages.

□

Les tournées au Canada se multiplient. Elles nous encouragent à poursuivre dans la voie que nous nous sommes fixée : relancer le combat de la souveraineté du Québec et préparer notre accession à l'indépendance tout en développant des liens avec nos voisins et nos partenaires naturels du Canada.

Je me rappelle avoir connu, dans la même journée, « le meilleur et le pire » de nos relations avec le Canada : cela se passe à Windsor, en Ontario. Le matin, je rencontre les travailleurs des usines Chrysler, réunis par le Syndicat des travailleurs canadiens de l'automobile. La salle est bondée et le mouvement de sympathie à l'égard du Bloc est bien réel : on nous présente en effet comme le parti qui défend le mieux l'intérêt des travailleurs à Ottawa.

Dans l'après-midi, c'est tout autre chose que j'affronte. L'équipe éditoriale du *Windsor Star* réunit une demi-douzaine de journalistes pour une entrevue. D'entrée de jeu, je flaire le piège :

— Dans un Québec souverain, il est entendu que la démocratie sera abolie et la dictature proclamée, me lance une dame à l'air pincé.

— Pourrions-nous passer aux questions sérieuses, s'il vous plaît ? ai-je rétorqué.

— Mais c'est une question sérieuse ! ajoute-t-elle.

— Alors dans ce cas, je doute que nous puissions parler bien longtemps.

L'entretien se poursuit sur ce ton. Lorsque nous abordons la question des autochtones et le traitement « discriminatoire » que le Québec leur réserve, je relance cette même dame en lui proposant de comparer certains chiffres :

— La population carcérale d'origine amérindienne au Québec compte pour 2 %, alors que les autochtones ne constituent que 1 % de la population (cris d'horreur de mes interlocuteurs) ; en Saskatchewan cependant, les autochtones forment 10 % de toute la population, mais 72 % de la population carcérale (silence général). Y a-t-il un problème ? Voulez-vous que nous en parlions ?

Nouveau silence.

« Voyez-vous, beaucoup de personnes s'insurgent contre les injustices sociales, le sort des minorités ou les dictatures. Mais que font-elles lorsque vient le temps de régler les problèmes autochtones, pas seulement au Québec, mais partout au Canada ? »

Lorsqu'un journaliste revient une cinquième fois sur la future « *dictature* » québécoise, je comprends qu'il est inutile de poursuivre cette conversation, véritable insulte à l'intelligence. Je mets un terme à ces entretiens en leur disant qu'ils ne sont en rien représentatifs des Canadiens que mes récents voyages m'ont permis de rencontrer.

Victoire dans Sherbrooke

La session de l'hiver 1998 est marquée, contre toute attente, par la victoire de Serge Cardin, au moment de l'élection complémentaire dans Sherbrooke. L'élection d'un candidat bloquiste met fin à la domination des conservateurs dans le comté.

Cette victoire confirme le fait que le Bloc est retombé sur ses pattes depuis l'élection de 1997, et que nos efforts ont porté fruit.

C'est dans Sherbrooke également que les trois chefs qu'a connus notre parti se retrouvent. La veille du scrutin, Lucien Bouchard nous rejoint pour notre conseil général. Au grand plaisir des centaines de militantes et militants réunis (et au nôtre), nous montons ensemble sur la scène, Lucien Bouchard, Michel Gauthier et moi-même : il y a comme un symbole !

Le Bloc, leader des oppositions

Sous ma gouverne depuis 1997, le Bloc Québécois a cherché à maintenir une approche responsable dans son travail parlementaire et a formé une coalition avec les autres partis sur des dossiers clés tels que l'assurance-emploi. Dans ce dossier, le Bloc Québécois a été à l'origine d'un front commun dénonçant les pratiques gouvernementales et exigeant la création d'une caisse autonome, afin de mettre fin au pillage systématique des surplus du régime par le ministre des Finances, Paul Martin.

L'hiver 1998-1999 voit le Bloc, sur la lancée de sa victoire dans Sherbrooke, connaître l'une de ses meilleures performances parlementaires. Nous talonnons le gouvernement sur une multitude de questions. L'action du Canada et de l'OTAN au Kosovo et la stratégie fédérale d'asphyxie de la personnalité internationale du Québec (illustrée par le refus d'organiser une rencontre entre le premier ministre Bouchard et le président du Mexique en avril 1999) font également partie de l'actualité. Nous prenons le gouvernement en défaut à maintes reprises, exposant sa mauvaise foi dans certains dossiers, comme celui sur les bourses du millénaire et sur l'assurance-emploi.

C'est ça, défendre les intérêts du Québec! Aucun autre parti politique ne le fait et aucun autre ne pourrait poser les questions dans les mêmes termes que nous.

CHAPITRE VI

Réflexion et action : nouvelles perspectives

Q UI DIT CHANTIER, dit construction, qu'il s'agisse d'un immeuble, d'un parti, d'un pays. C'est dans cet esprit que j'ai, l'année dernière, mis sur pied une série de « chantiers » ou thèmes de réflexion et de débat sur les enjeux liés à l'avenir de la société québécoise dans un monde en mutation. Nous avons développé quatre thématiques : la mondialisation et la souveraineté, la citoyenneté et la démocratie, la promotion et la défense des intérêts du Québec, et le partenariat entre le Québec et le Canada.

Entre janvier et juin 1999, nous avons ainsi tiré le meilleur parti d'une accalmie dans le calendrier politique, une période sans échéance électorale, qui nous a permis de systématiser notre réflexion et développer de nouveaux arguments pour renforcer le projet et le discours souverainistes. Après consultation auprès de l'ensemble de nos militants, l'exercice s'est terminé par l'adoption d'orientations politiques précises à notre congrès national (tenu à la fin janvier 2000), dont je trace ici les grandes lignes.

La mondialisation et la souveraineté

À l'évidence, le Canada et le Québec ont bien changé depuis les années soixante. L'échiquier international s'est profondément modifié : fin de la guerre froide, création de l'Organisation mondiale du commerce (OMC) et, simultanément, accélération de l'intégration des économies régionales via des traités comme l'Accord de libre-échange nord-américain (ALENA).

Lorsqu'on approfondit la question de la mondialisation, on constate, comme l'a fait Jacques Parizeau à titre de président du chantier, qu'elle est une réalité incontournable qui comporte autant de risques que de possibilités de progrès. Décrite en noir ou en rose, selon les circonstances et les groupes d'intérêts, la mondialisation n'est ni un monstre prêt à nous dévorer ni la solution à tous nos problèmes.

Les avantages économiques de la libéralisation du commerce ont été maintes fois démontrés. Toutefois, il est clair que la mondialisation (comme les accords de libre-échange) n'a pas éliminé l'injustice, la mauvaise répartition des richesses et l'exploitation des peuples. Les inégalités ne se combattent que lorsque les citoyens, avec leur État, s'occupent de leurs affaires. La preuve en a été faite avec l'échec de l'Accord multilatéral sur les investissements (AMI). Négocié en catimini pendant deux ans par des fonctionnaires de l'OCDE[1], le projet a échoué quand des groupes de citoyens et des États se sont engagés dans le débat,

---

1. L'Organisation de coopération et de développement économique regroupe les 29 pays les plus riches de la planète.

refusant qu'on délègue une partie de la souveraineté des États, non pas à un organisme supranational, mais bien au profit d'intérêts privés. Ce qui est inadmissible!

Il y a une leçon à tirer de cet épisode détestable où le gouvernement canadien a voulu endormir l'opinion publique: il faut impliquer la population et les organismes représentant la société civile dans le débat et ne plus laisser de négociations être menées derrière des portes closes. Le processus démocratique exige qu'on tienne compte de tous les points de vue et de toutes les opinions de manière continuelle afin d'aboutir à des décisions majoritaires. Le Bloc se fait d'ailleurs une règle de faire preuve de transparence et d'être à l'écoute des préoccupations des groupes et des citoyens.

La rencontre de Seattle aura fait la démonstration que la mondialisation n'est pas une fatalité et qu'elle peut et doit être forgée par les États, conformément à la volonté démocratiquement exprimée par leur population. Les médias ont fait grand cas du rôle qu'ont joué les organisations de la société civile pour expliquer l'échec de la rencontre, qui visait à déterminer l'ordre du jour de la prochaine ronde de négociation de l'OMC (la ronde du «millénaire»). Mais c'est surtout la solidité de la coalition des pays en voie de développement qui, opposée à la vision des pays riches, explique l'impasse de Seattle.

Les États sont donc appelés à jouer un rôle de premier plan dans les forums internationaux où s'établissent les nouvelles règles du commerce international. Le Canada n'y échappe pas, qui doit ajuster ses réglementations aux pressions imposées par des accords qui toucheront non seulement le commerce international, mais aussi la culture, les sociétés d'État, l'éducation, l'agriculture, l'environnement, etc. En principe, ce sont là des domaines de compétence provinciale ou partagée. Mais le gouvernement fédéral réagit de façon typique en voulant centraliser ses décisions et uniformiser ses politiques.

Loin d'amoindrir la pertinence de la souveraineté, la mondialisation la rend donc, au contraire, encore plus urgente. La vraie question qui se pose désormais aujourd'hui est la suivante : pourquoi continuer à se chamailler sur la place du Québec dans le Canada quand le vrai débat est celui de la place du Québec dans le monde ?

Le processus de libéralisation du commerce amorcé depuis 50 ans s'est accompagné de la création de plus de 120 pays. À l'heure où les États souverains prennent leur place autour de la table planétaire, je crois sincèrement que le Québec, s'il ne veut pas se trouver assis entre deux chaises, doit dès à présent s'affirmer : affirmer ses valeurs historiques ; affirmer son identité propre de seul État francophone en terre d'Amérique[2] ; affirmer son existence.

Dans la nécessaire offensive médiatique et diplomatique qu'il faut mener pour garantir que le point de vue du Québec sera entendu à l'étranger, je pense que le Bloc Québécois et ses parlementaires ont un rôle majeur à jouer.

---

2. Haïti est aussi un État francophone, mais le créole y a aussi le statut de langue commune.

Le Québec se construit, le Canada aussi

Un préjugé solidement ancré veut que, tant que nous n'aurons pas opté clairement pour un statut politique, le Canada se maintiendra par *statu quo*. Rien n'est moins vrai! Le Canada se transforme sous la pression de forces extérieures (la mondialisation) et intérieures : la volonté de construire une identité nationale canadienne. Ce processus laisse de moins en moins de place aux aspirations des Québécois qui, eux aussi, vivent depuis au moins quarante ans une situation similaire.

Il faut rappeler que le Canada d'aujourd'hui est le produit d'une construction politique presque centenaire, fruit d'un effort réel de *Nation Building*, de construction nationale répondant aux aspirations de la majorité anglophone du Canada. À tort, on attribue à Pierre Elliott Trudeau la paternité du Canada moderne. Certes, l'ancien premier ministre y a apporté d'importantes transformations. Il a dirigé le pays à un tournant politique crucial, mais le point de départ de ce mouvement se situe, en fait, au début du siècle, au temps des politiques nationalistes prônées par Henri Bourassa et aux positions affirmationnistes de Sir Wilfrid Laurier face à la Grande-Bretagne.

De la guerre des Boers (fin du XIXe siècle) jusqu'à la fin de la Première Guerre mondiale s'est opérée une prise de conscience de l'identité nationale canadienne face à l'empire britannique. Douze années se sont écoulées entre la fin de la Grande Guerre et la reconnaissance par la Grande-Bretagne de « l'indépendance » canadienne en matière de politique étrangère (Statuts de Westminster). Puis, la Deuxième Guerre mondiale a donné un nouvel élan au *Nation Building* canadien, Ottawa procédant à une vaste centralisation administrative et politique afin de soutenir «l'effort de guerre». Ottawa a ainsi pu occuper les champs de l'impôt sur le revenu que les provinces lui avaient cédés temporairement.

Enfin, le boom économique de l'après-guerre et les politiques des gouvernements King et Saint-Laurent (notamment la création du régime d'assurance-chômage) ont permis à Ottawa d'affermir son emprise sur des pans entiers de la société qui ne lui étaient pas dévolus selon la Constitution canadienne. L'héritage politique de Pierre Elliott Trudeau est le prolongement de cette dynamique centralisatrice.

Le legs de l'ère Trudeau réside dans la très symbolique Loi sur les langues officielles, la mise en place du multiculturalisme et, surtout, la judiciarisation de notre système politique par le biais de la Charte canadienne des droits et libertés. Ainsi, le système britannique de suprématie du Parlement a été battu en brèche par l'américanisation de nos rapports politiques et sociaux, conséquence du pouvoir accordé à des juges non élus, nommés par Ottawa à la Cour suprême, d'interpréter les lois. Les institutions législatives ont abdiqué une partie de leurs responsabilités au profit de l'appareil juridique, et les droits collectifs ont cédé le pas aux droits individuels. (Il est intéressant de remarquer que la Charte des droits et libertés de la personne au Québec cherche à maintenir un équilibre entre les deux catégories de droits, ce qui en fait l'une des Chartes les plus avancées du monde.)

Certains objecteront que, depuis le milieu des années quatre-vingt-dix, le Canada a procédé à une importante décentralisation... C'est totalement faux!

Les pouvoirs qu'Ottawa a « donnés » aux provinces, comme les forêts ou le tourisme, leur appartenaient déjà selon la Constitution de 1867. D'autres, comme le logement social, ont du être évacués à la faveur de compressions fédérales, Ottawa abandonnant ce champ (qu'il avait d'abord envahi) pour réduire son déficit budgétaire. Ce faisant, le gouvernement fédéral n'a pas remis aux provinces tous les transferts fiscaux concomitants. Paul Martin a donc bonifié son surplus budgétaire en s'enrichissant sur le dos des provinces.

Enfin, en ce qui a trait à la main-d'œuvre, les ententes administratives signées avec diverses provinces n'excluent pas un retour du gouvernement fédéral dans ce champ de compétence provinciale, comme on le voit avec la Stratégie jeunesse de Ressources humaines Canada. D'ailleurs, à maints égards, ces ententes visent plutôt l'*application* par les provinces de *décisions* prises par Ottawa.

En ce sens, le bref exercice de « rationalisation » ou de réalignement des programmes fédéraux, pour utiliser le jargon du Conseil du Trésor, des années 1995 à 1997, en était davantage un de « déconcentration » que de décentralisation des pouvoirs. Cela démontre que le gouvernement fédéral n'entend pas lâcher le morceau. J'en veux encore pour preuve l'accord cadre sur l'union sociale (entente que le Québec a refusé de signer), qui démontre hors de tout doute que le gouvernement fédéral entend garder la main haute sur des domaines stratégiques de compétence provinciale.

L'Union sociale, entente cadre intervenue entre neufs provinces et le gouvernement fédéral, permet à ce dernier d'intervenir dans les transferts aux individus et aux organismes, lui offrant ainsi la légitimité de s'immiscer dans des compétences que ne lui accorde pas la Constitution canadienne. Il fait ainsi d'une pierre, deux coups. D'une part, le gouvernement fédéral s'arroge tous les moyens nécessaires pour accélérer la centralisation des pouvoirs et imposer des règles et des normes pancanadiennes qui font fi des choix démocratiques faits par les Québécois (on l'a vu récemment avec les Bourses du millénaire en éducation, avec les Fonds d'innovation en santé, avec le projet des congés parentaux prévus en politique familiale).

D'autre part, il a les outils pour façonner les programmes sociaux et les politiques culturelles en conformité avec les ententes qu'il signe au plan international au nom du Canada, incluant du même coup le Québec. Ce pouvoir d'intervention lui sera extrêmement utile durant la ronde de négociation à l'OMC.

Depuis près d'un siècle, les *nation builders* du Canada anglais s'évertuent à mettre en place des politiques de normalisation, d'harmonisation et d'intégration pancanadiennes qui leur semblent nécessaires à la construction de la nation canadienne. Le problème, c'est que la construction de l'identité canadienne nie et écrase l'identité québécoise, qui, elle aussi, se construit, en particulier depuis plus d'une quarantaine d'années.

Au moment de l'adoption de la loi créant le ministère du Patrimoine canadien (responsable de la culture et des communications), le gouvernement libéral a refusé tout amendement ayant pour objet de reconnaître l'existence de la culture québécoise : elle ne serait qu'un élément régional ou ethnique de la culture canadienne. Le projet de loi fédéral sur les jeunes contrevenants est un autre exemple de l'incapacité du système fédéral canadien à reconnaître la spécificité du Québec.

Claude Béland, du mouvement Desjardins, avait raison de dire, au début des années quatre-vingt-dix, que «si le prix que l'on nous demande de payer pour être Canadiens est de perdre notre identité québécoise, alors ce prix est trop élevé».

Identité canadienne
et identité québécoise : *to be or not to be*

L'année 1999 marquait le dixième anniversaire de l'Accord de libre-échange avec les États-Unis (ALE). L'ALE fait partie de l'évolution du Canada mais, pour une fois, le Québec y trouve son compte : la formidable croissance des exportations québécoises vers les États-Unis (148,6 % de 1991 à 1998) témoigne du caractère judicieux de l'appui de la classe politique québécoise, souverainiste comme fédéraliste, au libre-échange. Avant ce traité qui, comme on le sait, fut suivi quelques années plus tard par la conclusion de l'ALENA pour inclure le Mexique, le Canada était le seul pays membre du G-7 à ne pas avoir accès librement à un marché d'au moins 120 millions d'habitants.

Ces deux accords constituent, du point de vue strictement commercial, des succès. Une évaluation plus globale incluant des dimensions autres que commerciales — économique, sociale, environnementale — reste à faire. Au Canada comme au Mexique, la décennie 1990 a révélé une faible croissance et un chômage élevé. Au Mexique en particulier, l'ALENA n'a pas empêché la crise du peso et ses effets brutaux sur l'économie mexicaine. Dans les trois pays, les salaires réels ont peu progressé et la répartition de la richesse s'est détériorée.

Du point de vue identitaire, c'est une autre histoire. L'identité d'une nation, c'est d'abord sa culture. Or la mondialisation représente des défis de taille pour la diversité culturelle de la planète. C'est encore plus vrai quand ce processus d'intégration économique de plus en plus poussée se fait avec les États-Unis, premier producteur mondial de produits culturels! La culture québécoise n'est pas à l'abri de l'homogénéisation, mais le danger est nettement plus grand pour la culture et l'identité nationale canadienne.

Toutefois, si le Mexique n'est pas menacé dans son identité nationale par son adhésion à l'ALENA, il n'y a pas de raison de croire que celle du Canada, bien que plus fragile, soit remise en question. Une « révolution tranquille » *made in Canada* sera peut-être nécessaire pour éviter l'américanisation du Canada. Mais c'est un combat que les Canadiens doivent livrer eux-mêmes, sans se préoccuper de maintenir l'artifice d'un pays bilingue et biculturel *coast to coast.*

De son côté, la culture québécoise s'est bien développée jusqu'à ce jour, dans des conditions souvent difficiles, et elle a sans aucun doute la capacité de relever les défis de demain. Elle a évolué tout naturellement dans un climat d'échanges avec les autres cultures (en particulier celles des Amériques et de la francophonie) et elle a aujourd'hui un rayonnement international : on peut penser à une foule de créateurs et de créations extrêmement variées, en passant par Richard Desjardins, Céline Dion, le Cirque du Soleil, Jean Leloup, les pièces de Michel Tremblay et de Robert Lepage, les romans de Réjean Ducharme et de Marie-Claire Blais, etc. La spécificité d'une culture ne tient pas tant dans les thèmes qu'elle aborde (et qui peuvent être universels) que dans le regard particulier qu'elle jette. La culture québécoise est le résultat d'un carrefour d'influences qui la singularise et l'enrichit.

Cela dit, la mondialisation met en présence des entreprises, des marchés et des pays aux ressources et aux tailles inégales, ce qui représente un défi important pour la subsistance et l'épanouissement des «petites» cultures et des créations nouvelles ou en marge des grands circuits de diffusion. Selon moi, il faut reconnaître le droit aux États d'adopter des politiques de soutien aux créateurs, à la création et à sa diffusion. La culture doit être exclue des accords commerciaux. La diversité culturelle est une richesse mondiale qui devrait être reconnue et protégée par une Charte internationale.

La meilleure façon de s'assurer que l'avenir de notre culture est adéquatement défendu, c'est en le défendant nous-mêmes : en nous donnant un pays. Je ne vais pas jusqu'à dire que le Québec est en mesure de «civiliser» la mondialisation! Ce que j'avance, c'est que nous n'avons aucun intérêt à diluer nos préoccupations dans l'ensemble canadien, qui refuse de reconnaître la culture québécoise, et que nous avons tout intérêt à nous défendre nous-mêmes, en alliance avec des pays qui ont les mêmes préoccupations que nous : des pays qui ont une conception de l'ouverture au monde qui soit au service de la diversité culturelle de la planète.

Citoyenneté et démocratie

Au-delà de son aspect juridique, la citoyenneté touche l'ensemble des dimensions de la vie en société. Sans succomber à un quelconque raccourci historique, sans non plus renier notre histoire, mais en l'intégrant et en la projetant dans le futur, le Bloc Québécois fait la promotion d'une citoyenneté inclusive et rassembleuse.

Comme nation, le Québec se caractérise par une langue, une histoire, une culture et un territoire communs. Cependant, cette nation comprend et inclut l'ensemble des citoyens qui y vivent, quels que soient leur couleur, leur religion, leurs convictions politiques, leur langue ou leur pays d'origine. Cette identité civique va de pair avec le respect des droits acquis de la minorité anglophone et des droits des peuples autochtones.

Tandis que le gouvernement et les forces vives du Québec cherchent à construire une identité de nature civique ou citoyenne, l'État fédéral s'acharne à réduire le peuple québécois à sa composante «ethnique» canadienne-française. Ce qui sert bien ses objectifs. Il se refuse de plus à reconnaître l'existence d'un peuple québécois au sens inclusif que nous lui donnons.

La notion de citoyenneté à laquelle je fais référence est bien davantage qu'un ensemble de droits et de responsabilités créant un lien civique (droit de vote, rapports avec l'État, etc.): elle rejoint le «vivre ensemble» et se manifeste dans toutes les dimensions de la vie en société. C'est pourquoi le Bloc Québécois travaille d'arrache-pied pour assurer la défense des intérêts de *tous* les citoyens du Québec. Je suis convaincu que, de cette façon, les Québécois issus de l'immigration et de la minorité anglophone seront toujours plus nombreux à prendre conscience qu'en faisant la promotion de la souveraineté du Québec, les partis souverainistes défendent aussi l'avenir de l'ensemble des Québécois.

La question de la citoyenneté ne peut faire l'économie d'une réflexion en profondeur sur la démocratie. À l'heure de la mondialisation, il faut dégager des pistes concrètes pour renforcer le pouvoir des citoyens sur leurs institutions politiques et celui des élus au sein des institutions parlementaires. C'est pourquoi le Bloc Québécois a mis en place un vaste chantier sur la démocratie[3] pour alimenter le débat sur cette question au sein du parti et dans la société québécoise.

Au Québec comme ailleurs dans le monde, la population souhaite que le citoyen ait une prise plus directe sur la vie politique. Partout, on revendique plus de rapports horizontaux avec la classe politique, davantage fondés sur la consultation, le partage de l'information et l'accès élargi aux débats. Plusieurs aspirent à un renforcement de la démocratie de participation où les groupes de la société civile joueraient un rôle important sur les plans tant national, régional que local.

Tant que ces attentes resteront insatisfaites, je ne serai pas étonné de voir se maintenir le cynisme qui discrédite déjà largement la classe politique et qui rend fragile tous les processus démocratiques. Il est essentiel d'élargir la participation démocratique pour rétablir la confiance des citoyens à l'égard du politique. J'ai déjà parlé de notre volonté d'être un carrefour des préoccupations de la société québécoise pour les traduire à Ottawa en positions politiques. Cette volonté se manifeste par la multiplication des projets de loi d'initiative privée de la part de nos députés.

---

3. On trouvera en annexe la composition et le mandat du « chantier sur la démocratie ».

Je dois aussi souligner que le dernier congrès du Bloc Québécois a assoupli la discipline de parti en l'encadrant de trois balises : la promotion de la souveraineté, le respect de notre Déclaration de principes[4] et de nos engagements électoraux.

Promotion et défense des intérêts du Québec : le Bloc est là pour vous

« Le Bloc est là pour vous » : plus qu'un slogan électoral, cette phrase est le leitmotiv qui a sous-tendu l'engagement de tous les députés du Bloc Québécois. Un engagement qui s'est traduit par de nombreuses batailles et de nombreux gains au profit des plus démunis, des habitants des régions éloignées, des agriculteurs québécois et de l'ensemble des Québécois. Au quotidien, au-delà de nos efforts visant à permettre au Québec de parler d'une seule voix, le Bloc agit tous les jours, de façon concrète, pour défendre les intérêts du Québec.

Le Bloc a démontré son utilité politique dès l'arrivée au pouvoir à Québec d'un gouvernement qui n'avait pas peur de se servir de cet atout. Ainsi, en quelques semaines, après la victoire du Parti québécois en septembre 1994, nous sommes parvenus à forcer Ottawa à rembourser 34 millions de dollars au gouvernement du Québec, pour les frais encourus pour l'organisation, sur son propre territoire, du référendum sur l'entente de Charlottetown en 1992. En

---

4. La « Déclaration de principes du Bloc Québécois » est reproduite en annexe.

conjuguant nos efforts à ceux du gouvernement du PQ, nous avons réussi à obtenir le remboursement d'une facture qu'Ottawa (sous Mulroney comme sous Chrétien) refusait de régler lorsque le tandem libéral Bourassa-Johnson était au pouvoir à Québec.

Il va sans dire qu'à titre de premier député élu du Bloc Québécois, j'ai toujours cru en son utilité et en sa pertinence sur la scène fédérale. Certes, tous les membres du Bloc souhaitent que l'existence de notre parti soit aussi brève que possible, mais cela dépendra largement des choix de l'électorat québécois... et d'autres facteurs: l'attitude douteuse de Robert Bourassa en 1992, et le vote serré du 30 octobre 1995, ont fait en sorte que notre présence au parlement fédéral devait être prolongée au-delà de ce que nous souhaitions et, certainement, bien au-delà de ce que nos vis-à-vis fédéralistes espéraient.

À titre de chef du Bloc Québécois, il me faut remplir, avec l'appui de l'ensemble de nos élus, une mission bien particulière. Celle-ci comporte cinq volets que je ne présente pas ici nécessairement par ordre de priorité, car il s'agit d'actions qu'il nous faut mener de front.

D'abord, il nous incombe, chaque fois que l'occasion se présente, de faire la promotion de l'idéal souverainiste. Les députés du Bloc se font un devoir et un plaisir d'expliquer à tous nos interlocuteurs, Québécois ou Canadiens, les mérites de la souveraineté. Ils travaillent dans un contexte difficile où la seule récompense sera, lorsqu'ils réussiront à gagner un pays, celle de perdre leur gagne-pain. En attendant le référendum gagnant auquel nous comptons bientôt être conviés, nous nous consacrons à la défense des intérêts du Québec au parlement fédéral.

Seule formation politique à n'avoir d'autre intérêt que celui du Québec, nous n'avons à faire aucun compromis qui le desservirait. Il ne s'agit pas de nier l'obligation de solidarité au sein d'un État. Mais lorsque cet État refuse de reconnaître l'égalité entre les nations qui le composent, toute forme de solidarité devient artificielle et sert à promouvoir les intérêts d'une nation, la nation canadienne, au détriment des autres, la nation québécoise, les Acadiens et les peuples autochtones.

Un troisième volet de notre action est plus important qu'on ne le croit. Il s'agit de notre capacité et de notre aptitude à intervenir dans des dossiers et des domaines qui étaient, avant notre arrivée à Ottawa, l'apanage quasi exclusif des fédéralistes : politique étrangère, relations internationales, commerce international et défense nationale. Je soupçonne que notre action à Ottawa n'est pas étrangère à l'intérêt accru des Québécois, constaté récemment par des sondages, pour les questions internationales.

Un quatrième volet, absolument crucial, consiste à briser la double légitimité politique qui a affaibli si longtemps le Québec. Ainsi, si les députés du Bloc Québécois n'avait pas été à Ottawa, personne n'aurait voté contre la résolution bidon sur la société distincte adoptée par le Parlement fédéral au lendemain du référendum de 1995 pour en dénoncer la vacuité. Ottawa aurait alors eu beau jeu de prétendre avoir adopté une résolution historique sans être contredit par quiconque au parlement fédéral.

Après l'adoption de la loi C-20, nos rencontres avec les représentants de plus d'une soixantaine de pays ont permis de miner la crédibilité du fédéral face à la démocratie québécoise. Car, au-delà des résolutions vides de sens et des propos lénifiants de fédéralistes québécois à Ottawa, leur soumission peut avoir des conséquences politiques graves pour le Québec. On peut même penser que si les souverainistes avaient été présents à Ottawa au début des années quatre-vingt, le rapatriement de la Constitution de 1981-1982 n'aurait jamais eu lieu.

Comment Pierre Elliott Trudeau aurait-il pu dire aux députés britanniques qu'il représentait le Québec tout autant que René Lévesque en invoquant l'appui de 72[5] des 75 députés fédéraux du Québec ? Trudeau aurait été incapable de dire aux députés de Westminster de se « pincer le nez » et d'adopter sa Constitution, même s'ils s'inquiétaient de l'absence du Québec ou étaient sensibles à d'autres revendications, notamment celles du lobby autochtone.

Enfin, la présence d'un fort contingent de députés souverainistes à Ottawa empêche le gouvernement et les diplomates canadiens de déformer la réalité. Au risque de perdre toute crédibilité, ils ne peuvent prétendre auprès de leurs interlocuteurs étrangers que tout va pour le meilleur des mondes dans la maison constitutionnelle canadienne. On a vu comment la présence d'une dizaine de représentants du Bloc au Forum des fédérations (qui s'est tenu au mont Tremblant à l'automne 1999) a pu mettre Stéphane Dion sur la défensive devant près de 500 personnes provenant de tous les coins du globe.

En outre, au-delà de la propagande fédérale, les ambassadeurs étrangers présents au Canada, avec qui

---

5. Rock LaSalle, député conservateur de Joliette, a voté contre et a été le seul à enregistrer sa dissidence. Le député libéral de Montmorency, Louis Duclos, a également voté contre. Tandis que le député Warren Allmand a voté contre parce que la minorité anglophone aurait été, paraît-il, mal protégée.

nous échangeons, peuvent très bien faire la lecture des événements. Nous sommes là et il y a des raisons politiques fondamentales, une sorte de problématique inachevée, qui font que nous représentons 60 % des circonscriptions électorales du Québec. Notre absence de la Colline parlementaire ferait en sorte que ces interlocuteurs étrangers seraient privés d'un pan entier de la réalité politique québécoise.

Le rôle du Bloc dans un futur référendum

Parce qu'il est présent sur la scène fédérale, le Bloc Québécois doit être plus qu'un partenaire circonstanciel du gouvernement du Québec dans tout épisode référendaire. En fait, il a un rôle spécial à jouer, tant dans la période qui précède le référendum qu'au cours de la campagne référendaire et des mois qui suivront.

D'abord, sur le plan tactique, il y a le travail sur le terrain. Qu'on le veuille ou non, même à l'ère de l'Internet, des communications instantanées et des clips de quelques secondes à la télévision, la politique est encore faite de rapports humains où des citoyens seront convaincus du bien-fondé d'une option particulière seulement lorsque d'autres citoyens arriveront à les convaincre des mérites de cette option. Cela s'appelle faire du porte-à-porte, des rencontres de cuisine, du travail de terrain. L'élection de députés souverainistes à l'occasion du prochain scrutin fédéral nous assure qu'autant, sinon plus, de députés défendant notre option occuperont le terrain et l'espace médiatique au cour d'une éventuelle campagne référendaire. Cela pourrait faire toute la différence si le vote est serré.

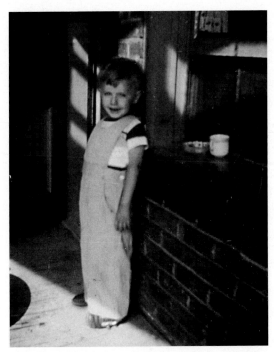

Gilles Duceppe vers l'âge de deux ans, rue Chambly, à Montréal.

Gilles Duceppe en première année, assis à son pupitre, à l'école Sainte-Jeanne d'Arc, en 1954.

Gilles en compagnie de ses frères Claude et Pierre,
devant le Parlement d'Ottawa, à l'été 1956.

Gilles, à l'âge de dix ans, avec sa sœur Anne, en 1957.

Gilles (10 ans) au Parc Lafontaine, à l'été 1957, en compagnie
de sa sœur Monique (3 ans) et de ses frères Pierre (6 ans)
et Claude (8 ans).

À Saint-Hilaire, sur les bords du Richelieu, à l'été 1957 :
Monique (3 ans), Louise (5 ans), Pierre (6 ans), Claude (8 ans),
Gilles (10 ans) et leur père, Jean Duceppe.

Gilles, à côté du frère Léonard, à la droite, en 1963,
avec l'équipe des Kodiacks du Mont-Saint-Louis,
champions de la ligue intercollégiale.

Retrouvailles à Hull, en 1990 : en compagnie de Yolande,
son épouse, Esther Lapointe, épouse de son frère Yves,
Louise, sa sœur, Yves et Claude, ses frères.

Jean Duceppe félicitant son fils Gilles, au soir de l'élection du 13 août 1990.

En compagnie de
Lucien Bouchard,
pendant la campagne
électorale de 1990.

En compagnie de
Jean Lapierre, en
septembre 1990, lors de
sa déclaration au
peuple québécois.

Les trois chefs réunis au cours d'une assemblée
à Sherbrooke, en septembre 1998.

Au cours d'une soirée en hommage aux militantes et militants
de la souveraineté: Christiane Sibillotte, Louisette Dusseault,
Louis-Marie Gagnon, Jean-Claude Germain et René Caron.

À l'été 2000, on fête le 10ᵉ anniversaire de l'élection de Gilles : David Poulain, ami de sa fille Amélie, Gilles et Yolande, son épouse, son fils Alexis et son amie, Mylène Cloutier.

La mère de Gilles, entourée de ses trois filles : Hélène et Louise, à sa gauche, et Monique, à sa droite.

Ensuite, au niveau stratégique, le Bloc Québécois aura à relever un défi important au moment du prochain épisode référendaire, si la Chambre des communes siège en même temps. En 1995, nous avons tenté de forcer un débat à Ottawa, de prendre les fédéralistes à contre-pied, de les débusquer. Il nous faut constater aujourd'hui l'échec partiel de cette stratégie. Non pas que nous n'ayons pas bien joué ce rôle, mais plutôt parce que le camp du Non a esquivé toutes nos attaques, évité de répondre à nos questions et fui tout débat significatif, sachant très bien qu'il n'avait rien d'autre à offrir aux Québécois qu'un discours politique anémique et la perspective d'un cul-de-sac constitutionnel.

Avec l'adoption de la loi C-20, la donne a changé. La Chambre des communes s'est arrogée le droit de débattre de la clarté de la question que décidera de poser l'Assemblée nationale aux Québécois pour déterminer leur avenir collectif au prochain référendum.

Comme le disait Winston Churchill, « il est difficile de faire des prédictions, surtout lorsqu'elles concernent l'avenir ». Le Bloc ne contrôle ni l'horaire référendaire du gouvernement québécois ni les stratégies fédérales. Par contre, la force de nos convictions peut nous permettre d'être à la fois un allié efficace pour le gouvernement québécois et un adversaire implacable pour ceux, qui, à Ottawa, estiment préférable que les Québécois soient soumis pour toujours à une volonté politique étrangère à leur culture, à leurs besoins et à leurs aspirations.

Enfin, sur le plan de la construction de liens de solidarité et de confiance qui seraient susceptibles d'assurer notre prochaine victoire référendaire, le Bloc Québécois peut agir de diverses façons.

Premièrement, il a un rôle à jouer auprès des autochtones, des Québécois issus de l'immigration et de la minorité anglophone pour faciliter le dialogue et la constitution de coalitions qui porteront le message souverainiste. De nouvelles solidarités ne demandent qu'à se matérialiser. Le Bloc Québécois a posé plusieurs gestes concrets en ce sens et je m'engage à poursuivre nos efforts pour préparer les lendemains de notre future victoire.

Deuxièmement, nous devrons prendre une part active à la formation d'une nouvelle coalition de «partenaires pour la souveraineté». Non pas que la formule n'ait pas été heureuse, au contraire! Mais simplement parce que les partenaires eux-mêmes (centrales syndicales, organisations nationalistes, mouvement des femmes, associations étudiantes, groupes populaires) ont choisi de redéfinir la dynamique du regroupement.

Troisièmement, nous devons poursuivre nos efforts afin de créer des lieux de débat et d'échange avec le Canada. Comme nous le faisons depuis des années déjà, nous devrons intensifier nos tournées au Canada et expliquer ce qui se passe vraiment au Québec, en continuant d'entretenir nos liens, généralement fructueux, avec des représentants du monde des affaires, des syndicats, des médias et des minorités francophones et acadiennes du Canada.

Grâce à nos visites répétées, nos interlocuteurs se sont montrés las du portrait dessiné par Jean Chrétien d'un Québec geignard, revendicateur d'un statut spécial, opprimant sa minorité anglophone, etc. Un plus grand nombre de Canadiens sont aujourd'hui enclins à découvrir le vrai Québec: moderne, ouvert sur le monde, ayant des griefs légitimes envers le cadre politique canadien, ne recherchant que l'égalité politique des peuples et non une forme de supériorité constitutionnelle. Un Québec qui va à leur rencontre et qui s'offre comme partenaire.

Au printemps 1999, au cours de ma troisième tournée dans l'ouest canadien comme chef du Bloc, j'ai remarqué que le ton dans les médias avait changé. Alors qu'auparavant on nous qualifiait au mieux de « séparatistes » et, au pire, de « traîtres », ces épithètes avaient cédé la place à celui de « souverainistes ». Le *Calgary Sun*, qui n'a jamais été réputé pour faire dans la dentelle, surtout lorsqu'il s'agit de nous, disait : « *(Duceppe's) arguments appear reasonable, his presentation calm and lucid. He sees his dream not as an end, but as a beginning, for Quebec and for Canada.* »

En 1998 et en 1999, j'ai été invité à titre de conférencier au congrès annuel des Travailleurs canadiens de l'automobile, plutôt que le chef du NPD, parti pourtant réputé être l'allié politique traditionnel de ce syndicat. Cette invitation est le fruit direct de nos efforts visant à créer des liens durables et à entretenir un dialogue fructueux avec le Canada.

Le partenariat Québec-Canada : dans l'intérêt des deux parties

Du côté canadien, plusieurs acteurs comprennent désormais qu'au-delà de l'attitude bornée (et calculée) de certains, le Canada a intérêt à négocier une entente sur la question du partenariat économique avec un Québec souverain.

Il est inconcevable, à moins que le Canada fasse preuve d'un masochisme économique dont on ne trouve pas d'exemple dans l'histoire, que le Québec et le Canada ne puissent en arriver à une entente sur le partage de la dette canadienne. De même, des accords visant à assurer le maintien de rapports commerciaux et financiers normaux sont incontournables. Ensuite, selon l'évolution des choses, le Canada et le Québec pourraient en arriver, graduellement, à une forme de partenariat se rapprochant, à certains égards, du modèle européen.

Dans d'autres domaines relatifs aux rapports canado-américains, je pense notamment au NORAD, à la gestion de la voie maritime du Saint-Laurent et des Grands Lacs et à des dizaines d'autres traités dont l'ALENA, l'adhésion du Québec sera presque automatique. Certains se plaisent à dire que les Américains n'accepteront jamais que le Québec y participe. Au contraire! Les États-Unis trouveraient inacceptable qu'un État nord-américain en soit exclu! Ils exigeront que ces questions soient rapidement résolues dans le sens de la stabilité et de la continuité. Cela tombe sous le sens : après tout, ne dit-on pas que « les États n'ont pas de sentiments, ils n'ont que des intérêts » ?

Plusieurs modèles de partenariat peuvent donc être envisagés. J'estime prématuré de faire la promotion de l'un ou de l'autre, l'important étant le maintien d'une attitude d'ouverture. Le meilleur modèle sera celui convenu entre les partenaires sur la base de leurs intérêts respectifs. L'avis de la Cour suprême est venu renforcer la possibilité d'un partenariat qui tiendrait compte des intérêts de tous, puisque le Canada serait tenu de négocier face à l'expression claire d'une majorité de Québécois de ne plus faire partie de la fédération.

Mais s'il veut être prêt pour cette négociation, le Canada ne peut faire l'économie de préparatifs adéquats. Il doit être en mesure, car il a le droit de le faire, de présenter, lui aussi, des offres de projets de partenariat sujets à négociation. Cela implique que le Canada procède à un exercice similaire à celui de la commission Bélanger-Campeau (1990-1991) et se penche sur deux scénarios : l'un portant sur un renouvellement en profondeur du fédéralisme canadien, avec le Québec comme partenaire politique ; l'autre, étudiant les tenants et aboutissants d'une restructuration du Canada à la suite du départ du Québec. Pour l'instant, le dogmatisme et la myopie politique de Jean Chrétien ont fait en sorte que le seul véritable scénario envisagé au Canada soit celui de la ligne dure.

Le Bloc Québécois a pris fait et cause en faveur d'un partenariat avec le Canada afin d'assurer les avantages mutuels du Canada et du Québec. Cette offre est le résultat d'une lecture concrète des réalités canadienne et québécoise. Il ne s'agit pas d'une attitude défensive : le Bloc estime qu'il est dans l'intérêt des deux parties de maintenir des liens économiques et politiques après un vote référendaire favorable à la souveraineté. Les souverainistes maintiennent cette offre depuis 30 ans et ont constamment cherché à l'améliorer.

Je souligne par ailleurs que, même en l'absence d'entente avec le Canada, un Québec souverain serait viable, prospère et ouvert sur le monde. La démarche souverainiste est une démarche moderne qui tient compte de la conjoncture internationale et privilégie l'établissement de rapports de plus en plus étroits entre les États souverains. Il ne s'agit pas d'affaiblir le

Canada, mais bien d'instaurer des relations d'égal à égal. La mondialisation ajoute un élément supplémentaire à l'appui de l'établissement d'un partenariat entre le Canada et le Québec : dans le cadre d'une intégration continentale des Amériques, un partenariat placerait les deux pays dans une position avantageuse.

Les communautés francophone et acadienne du Canada

La propagande fédéraliste et les politiciens à court d'arguments accusent souvent les souverainistes de vouloir «abandonner les communautés francophones et acadiennes». Trop longtemps on a appelé les membres de ces communautés «francophones hors Québec», une définition par la négative. Beaucoup sont des descendants ou des ancêtres de Québécois, en Ontario et dans l'Ouest canadien surtout, alors que d'autres forment un peuple distinct, je pense ici aux Acadiens. Tous méritent qu'on s'intéresse à eux. C'est ce que le Bloc Québécois fait depuis le début de son existence.

À titre d'opposition officielle, nous avons posé plus de questions au gouvernement concernant les minorités francophones que tout autre parti politique qui a eu les mêmes responsabilités. Nous nous sommes acquittés de cette tâche avec d'autant plus de désintéressement que, ne présentant pas de candidats en dehors du Québec, personne ne peut nous accuser d'opportunisme électoral!

Durant la visite de Lucien Bouchard à Shédiac (en 1994), le Bloc Québécois a aussi été le premier parti fédéral à présenter une politique officielle concernant ces communautés. Cette politique demeure celle de notre parti et sera mise en vigueur au moment de l'accession du Québec à la souveraineté. En attendant, nous défendons à la Chambre des communes les communautés francophones, chaque fois que l'occasion se présente. Nous entretenons d'ailleurs des rapports cordiaux avec ces communautés, malgré toutes les pressions qu'elles subissent de la part du gouvernement fédéral pour nous dénigrer.

Bien qu'on ait voulu me prêter de malencontreux propos concernant la vitalité des groupes francophones minoritaires hors Québec, j'ai eu l'occasion, à de nombreuses reprises au cours de mes voyages à travers le Canada, de saluer la vitalité des communautés francophones et acadiennes. Ce que j'ai dénoncé, ce sont les conditions difficiles dans lesquelles, trop souvent, elles se retrouvent. Elles bénéficient d'infrastructures insuffisantes et font face à une indifférence éhontée de leur gouvernement provincial; le gouvernement fédéral, lui, est plus enclin à se servir d'elles comme otages dans le débat constitutionnel qu'à leur donner vraiment les moyens d'assumer pleinement leur développement et leur épanouissement.

Pendant ce temps, Jean Chrétien affirme dans *Le Devoir* (28 août 1999) que l'assimilation, «c'est la réalité de la vie». De mon côté, j'ai clairement expliqué ma position à ce sujet en mai 1998, dans un discours prononcé à l'Université de Moncton, en établissant les liens qui existent entre les intérêts et la cause des communautés francophones et acadiennes, et le combat souverainiste. Je dénonçais alors la manipulation que faisaient des médias canadiens et des fédéralistes québécois aux seules fins de nous diviser.

Essentiellement, je disais qu'en évacuant de la discussion publique toutes sortes de situations inacceptables ou en les présentant sous un jour délibérément trompeur, c'est aux intérêts légitimes de toute la francophonie canadienne que les fédéralistes portent atteinte, car très souvent les doléances du Québec et celles des communautés francophones et acadiennes du Canada sont parentes. Je soulignais aussi que les minorités francophones du Canada n'ont pas à servir de monnaie d'échange dans les tiraillements canado-québécois. Les francophones ont des droits parce qu'ils sont ce qu'ils sont, des représentants de l'un des peuples fondateurs du Canada, où qu'ils se trouvent. Ces droits sont imprescriptibles et inaliénables. Voilà qui est clair, il me semble!

Tout le reste n'est que poudre aux yeux. Il est impératif que les minorités francophones ne jouent pas le jeu d'Ottawa : diviser pour mieux régner. Nous y perdrions tous en tant que francophones, car nos destins sont liés.

Les souverainistes ont toujours eu à cœur la cause des minorités francophones. N'est-ce pas René Lévesque qui avait offert à St. Andrew's, en 1977, que les provinces canadiennes concluent un accord de réciprocité sur le traitement de leurs minorités linguistiques? Les provinces à majorité anglaise ont refusé. Dans le contexte canadien, le Bloc Québécois demeure favorable, encore aujourd'hui, à un tel accord de réciprocité et s'engage à maintenir les droits des Anglo-Québécois, quoi qu'il advienne.

Enfin, je me dois de rappeler que le Bloc Québécois a proposé que soit mise sur pied, dans le cadre de la future entente de partenariat Québec-Canada, une commission bilatérale canado-québécoise, afin que nous puissions nous assurer du respect des droits des minorités francophones et acadiennes au Canada, et de la communauté anglophone au Québec. Cette commission ressemblerait à la convention cadre pour la protection des minorités nationales mise sur pied par le Conseil de l'Europe. Le sort réservé aux minorités n'est-il pas la meilleure mesure de l'ouverture, de la tolérance et du caractère démocratique des sociétés ? À cet égard, le Québec peut être fier de sa performance !

Un pays nommé Québec

Les dix dernières années ont démontré à quel point l'impasse constitutionnelle est totale. Les débats concernant l'Accord du lac Meech, l'entente de Charlottetown, le référendum de 1995, l'entente cadre sur l'union sociale ou l'adoption de la loi C-20 ont fait la preuve qu'une majorité de Québécois voulait revoir ses liens avec le Canada, alors qu'une majorité de Canadiens refusait toute forme de reconnaissance du caractère particulier du Québec au nom de l'égalité des provinces.

Devant ce constat, le Québec se retrouve confronté à un choix incontournable : ou bien se battre avec la dernière énergie pour maintenir des pouvoirs de plus en plus partagés avec le fédéral (et de moins en moins substantiels), ou bien réaliser sa pleine souveraineté pour poursuivre son développement original sur les plans économique, social et culturel, tout en plongeant dans la mondialisation.

L'accession du Québec à la souveraineté n'est pas une fin en soi, mais un commencement. C'est un rêve aussi enivrant, à son échelle, que celui que Martin Luther King nourrissait pour ses concitoyens américains : un projet sur lequel il faut construire une société juste. Non pas que la souveraineté puisse, à elle seule, régler tous nos problèmes ; mais elle nous permettra de convenir entre nous de solutions, de faire des choix à partir d'options où seuls nos véritables intérêts seront considérés, sans avoir à nous soumettre à l'arbitrage, pour ne pas dire à l'arbitraire, canadien.

Libérés des prismes politiques associés au cadre canadien, enthousiasmés par le projet de façonner un pays à sa ressemblance, motivés par les nouveaux défis, les Québécois et les Québécoises vivront, j'en suis persuadé, un moment exaltant, lorsqu'ils auront l'agréable tâche de construire leur nouveau pays. Cette grande période de solidarité nationale sera suivie par un réalignement des forces politiques du Québec. Les coalitions actuelles regroupant, d'une part, les fédéralistes et, d'autre part, les souverainistes, céderont inévitablement la place à de nouvelles formations partisanes sur des axes politiques plus conventionnels (gauche, droite, centre).

Ainsi, en se joignant au concert international des nations souveraines, le Québec découvrira d'autres façons « d'accorder ses violons ». Mais il ne sera pas seul à vivre ce réalignement politique : nos voisins canadiens emboîteront le pas, ce qui devrait se solder par la création de nouveaux partis politiques canadiens ou, du moins, à un réaménagement des courants politiques.

Je promets à tous les citoyens du Québec que le Bloc Québécois maintiendra son attitude politique responsable. Je m'engage, au nom de ma formation politique, à leur offrir un parti ouvert, généreux, tolérant, qui ne fera jamais de compromis honteux sur le dos du Québec, comme les vieux partis dont la composition et la loyauté sont divisées. Notre but est simple : à l'aide d'un parti qui nous rassemble, nous construirons un pays qui nous ressemble. Lorsque le Québec sera un pays, le Bloc aura alors accompli sa mission et n'aura plus sa raison d'être.

Dossiers

Un parti d'opposition
« pas ordinaire »

FAIT INUSITÉ, le Bloc Québécois, formation politique voué à la souveraineté du Québec, a formé l'opposition officielle à la Chambre des communes du Canada de 1993 à 1997. Dans les circonstances, il faut bien dire que cette responsabilité, placée sur nos épaules à la faveur du résultat électoral, était délicate...

Au lendemain de l'élection d'octobre 1993, nous étions confrontés à un choix : soit décliner le titre d'opposition officielle, au mépris de la volonté des Québécois qui avaient voté massivement pour nous... ou l'accepter, malgré le climat d'animosité, voire d'incrédulité, qui régnait parmi nos collègues des vieux partis. En l'acceptant, nous nous placions devant cette alternative : développer un nouveau style d'opposition, intègre, responsable et constructive, ou profiter de nos privilèges pour paralyser le Parlement fédéral. J'étais de ceux qui favorisaient la première option, car je croyais que ni les Canadiens ni les Québécois n'auraient toléré le spectacle de députés mettant systématiquement du sable dans l'engrenage législatif. Nous avions trop de respect pour l'institution parlementaire pour en abuser ainsi !

Dès les premiers jours de notre mandat à titre d'opposition officielle, les observateurs de la scène fédérale et les médias ont loué notre sens des responsabilités et notre sérieux. Cette appréciation ne s'est jamais démentie, notre politique étant de ne jamais se servir de notre immunité parlementaire pour porter des accusations en Chambre que nous aurions été incapables de soutenir en dehors de l'enceinte parlementaire.

Au lieu de « s'opposer pour s'opposer », approche favorisée traditionnellement et alternativement par le Parti libéral du Canada et le Parti conservateur, le Bloc a préféré définir des positions cohérentes en fonction des intérêts du Québec et de principes inaliénables : l'équité, la justice sociale et la promotion de la démocratie.

Pour preuve de notre approche constructive, je cite une seule statistique, fort révélatrice : durant la période où le Bloc Québécois était le principal parti de l'opposition, il a voté près de la moitié du temps en faveur des politiques gouvernementales, un taux deux fois plus élevé que celui des libéraux de John Turner et de Jean Chrétien au cours des mandats partagés par Brian Mulroney et Kim Campbell. Voilà qui devrait faire taire Jean Chrétien, qui fait de la petite politique et de piètres jeux de mots lorsqu'il dit que « le Bloc est là pour bloquer ».

Les pages suivantes décrivent le cheminement et les actions du Bloc depuis 1997. La quasi-totalité des dossiers y est traitée de façon suffisamment détaillée pour que le lecteur curieux tout comme le journaliste chevronné y trouvent matière à découverte et à réflexion.

I

La construction de deux pays

(Affaires intergouvernementales)

L'union sociale

L'UNION SOCIALE représente un tournant important dans l'histoire politique canadienne. Le gouvernement fédéral voulait faire avaliser par les provinces son pouvoir de dépenser dans les domaines qu'il juge de sa compétence, notamment l'éducation, les programmes sociaux et la santé. Cette entente vient cristalliser en un moment, et dans un court texte d'une dizaine de pages, la direction qu'entend prendre le Canada au XXIᵉ siècle : l'uniformité.

Au lendemain de la signature de l'entente, Stéphane Dion illustre bien ce que signifie l'union sociale pour le Québec. Si, par exemple, le Québec veut se retirer d'un programme pancanadien de garderies, il ne recevra sa part du gouvernement fédéral qu'à condition « de respecter un cadre d'imputabilité et les objectifs fixés par Ottawa et une majorité de provinces[1] », affirme-t-il alors. Par ailleurs, le gouverne-

---

1. *Le Soleil*, 6 février 1999, A22.

ment fédéral reste libre d'imposer unilatéralement un programme comme les Bourses du millénaire.

À l'Assemblée nationale, Jean Charest et Mario Dumont déclarent que jamais ils n'apposeront leur signature au bas d'un pareil texte. Cette position s'explique par le fait que l'Entente-cadre sur l'union sociale ne laisse aux provinces qu'un rôle d'administration régionale. Les souverainistes désirent que, de province canadienne, le Québec devienne un État souverain, tandis que les fédéralistes souhaitent que le Québec demeure une province canadienne. Mais qui souhaite, au Québec, que l'État ne devienne qu'une simple administration régionale?

André Binette, dans un avis commandé par le Secrétariat québécois des Affaires intergouvernementales, dit ce qui suit au sujet de l'Entente-cadre sur l'union sociale:

> L'entente constitutionnelle de novembre 1981 et l'entente sur l'Union sociale forment la majeure et la mineure d'une même proposition: le Canada ne peut plus coexister avec l'identité du Québec. [...] Le Canada demande maintenant au Québec [...] d'accepter le Canada tel qu'il se centralise[2].

Pour sa part, Christian Dufour affirme:

> Pour qui y regarde de près, il est évident que les tendances lourdes du fédéralisme canadien vont non seulement dans le sens de la marginalisation du Québec, mais aussi dans celui de l'affaiblissement du pouvoir de

---

2. André Binette, Études d'experts commandées par le gouvernement du Québec sur l'Entente-cadre sur l'union sociale, p. 1.

toutes les provinces, dans la foulée de l'affirmation des compétences de plus en plus prépondérantes d'Ottawa[3].

On ne saurait être plus clair. Au Québec, il y a un véritable consensus contre l'union sociale canadienne. De notre poste d'observation à Ottawa, nous voyons qu'il y a un consensus au Canada, également. Les Premiers ministres des provinces et des Territoires ont tous signé l'Entente et, hormis le Bloc, aucun parti fédéral n'a protesté. Cela est révélateur à plusieurs égards.

Aucun des 26 députés libéraux fédéraux du Québec ne s'élève contre l'union sociale. Ils se taisent ou vantent l'entente à la suite de Stéphane Dion et de Jean Chrétien. Des députés québécois qui se rangent systématiquement du côté du Canada; cette aberration est attribuable au rapport de force inexistant des députés du Québec au sein du PLC. À Ottawa, un seul parti a su refléter l'opinion québécoise sur l'union sociale et c'est le Bloc Québécois. Les autres partis ont fidèlement représenté les intérêts du Canada.

Lorsque Claude Ryan, en réaction à la signature de cette Entente, affirme que «c'est la troisième fois au cours des 30 dernières années qu'après s'être engagé dans une démarche commune avec les autres provinces et territoires, le Québec aura été lâché en cours de route par ses partenaires[4]», y a-t-il lieu de s'étonner? Je ne crois pas.

Car, ce que révèle clairement l'union sociale, c'est qu'au Canada, personne n'est ému outre mesure à l'idée que les provinces se transforment en administra-

3. Christian Dufour, Études d'experts commandées par le gouvernement du Québec sur l'Entente-cadre sur l'union sociale, p. 11.
4. Claude Ryan, Le Devoir, 12 juin 1999, A-11.

tions régionales. Personne ne proteste, car c'est bien ainsi que la majorité des Canadiens voient l'avenir de leur pays. Plus uni, plus uniforme d'un océan à l'autre. Et cette volonté du Canada de se construire en se centralisant davantage, en s'offrant des normes, des objectifs et des programmes communs et uniques, cette volonté est légitime. Comme la volonté du Québec de se construire, à sa manière, parfois comme le Canada, parfois différemment, est également légitime.

Deux pays se construisent. Le Canada, avec tous les moyens dont disposent les États pleinement souverains. Et le Québec, comme un État qui doit lutter sans cesse pour maîtriser les moyens restreints dont il dispose. C'est dans ce contexte que doit agir le Bloc Québécois. Une de nos tâches consiste à promouvoir la construction du Québec, à défendre ses intérêts dans le cadre fédéral actuel. En somme, le Bloc doit contrer les assauts du gouvernement fédéral, à partir des consensus qui se dégagent au Québec dans différents dossiers.

Les congés parentaux

En février 1996, le gouvernement du Québec annonce sa politique familiale, dont le programme de congés parentaux constitue le troisième volet. Les partenaires du Sommet socioéconomique de novembre 1996 s'entendent sur la nécessité de créer un tel programme, qui vise à permettre aux parents de rester auprès de leur nouveau-né sans être pénalisés financièrement.

En mars 1997, Québec entreprend des négociations avec Ottawa afin de rapatrier les sommes que versent les Québécois au régime d'assurance-emploi aux fins des congés parentaux. Ottawa affirme que les calculs doivent se faire sur la base de ce qui est déjà versé aux Québécois et pas selon leurs cotisations. Une différence d'interprétation qui signifie un manque à gagner de 110 millions de dollars pour le Québec.

À l'automne 1999, Québec termine de modeler son programme de congés parentaux et approche Ottawa en vue de négocier une entente. Le gouvernement fédéral refuse : une bonification du régime sera annoncée dans le budget 2000. Après le dépôt du budget, le gouvernement du Québec réitère son désir d'en arriver à une entente. Autre refus d'Ottawa qui affirme cette fois que le nouveau régime doit être en vigueur pendant au moins un an avant qu'il soit possible d'entamer des négociations. Tout ça commence à être sérieusement agaçant.

Le 6 juin 2000, Paul Crête, notre porte-parole en matière d'assurance-emploi, pose une question à la ministre Stewart en Chambre. C'est Jean Chrétien qui se lève :

> PAUL CRÊTE : Monsieur le Président, le gouvernement du Québec a déposé aujourd'hui un projet de loi qui permettra aux parents québécois, y compris les travailleurs autonomes, de bénéficier d'un régime de congés parentaux généreux et accessible à tous. Afin d'en assurer la mise en place rapide, la ministre s'engage-t-elle, devant cette Chambre, à entreprendre, dans les plus brefs délais, des négociations avec son homologue québécoise, permettant la mise en vigueur de ce régime de congés parentaux fort attendu au Québec ?

> JEAN CHRÉTIEN : Monsieur le Président, il y a quelques années, on a essayé d'avoir des négociations avec le gouvernement du Québec à ce sujet, mais il n'était pas intéressé. Depuis ce temps, dans le budget, le ministre des

Finances a décidé de donner à tous les Canadiens et Canadiennes des bénéfices pour congés parentaux qui s'appliquent à travers le Canada et qui s'appliqueront aussi aux Québécois. Je pense que c'est ce qui doit se passer au Canada, que les citoyens qui contribuent au programme d'assurance-emploi reçoivent les mêmes bénéfices, partout au Canada.

Voilà qui éclaire le débat. Un programme unique pour tout le Canada. Que le projet québécois soit plus généreux, qu'il corresponde à ce qu'ont demandé les partenaires lors du Sommet socio-économique, Jean Chrétien n'en a cure. Le Québec demande seulement de récupérer ce que les Québécois versent déjà à la caisse d'assurance-emploi. Le Québec demande que les travailleurs autonomes puissent bénéficier d'un programme de congés parentaux. Le Québec demande seulement qu'on le laisse tranquillement s'occuper des jeunes familles. La réponse du gouvernement fédéral, tranchante, est non!

Le programme fédéral de congés parentaux fonctionne selon les règles de l'assurance-emploi et n'assure qu'un maximum de 39 000 $, contre 52 500 $ pour Québec. Cela signifie que les parents ne pourront recevoir que 55 % de leur salaire contre 55 % à 75 % pour Québec. Cela signifie un délai de carence de 2 semaines, alors que Québec n'en impose aucun. Cela signifie que les travailleurs autonomes et un grand nombre de cotisants au régime d'assurance-emploi — en majorité des jeunes et des femmes — sont exclus du programme fédéral.

À la Chambre des communes, aucun autre parti d'opposition n'aborde la question des congés parentaux, qui semble susciter très peu d'intérêt. Il en va tout autrement de la Loi sur les jeunes contrevenants.

La loi sur les jeunes contrevenants

> Avant de faire table rase de seize ans de pratique, d'ajustement et de jurisprudence pour s'engager dans une avenue qui rompt avec près d'un siècle de tradition, les parlementaires doivent se demander si le jeu en vaut la chandelle. Auront-ils le courage de défendre une loi qui fait l'unanimité de ceux qui la connaissent et l'utilisent, ou céderont-ils aux lobbies qui misent sur la désinformation pour faire avancer un programme aussi mesquin que réducteur ?
>
> Coalition pour la justice des mineurs,
> Un système de justice pénale
> pour les adolescents ou contre les adolescents ?
> Septembre 1999

C'est la Loi sur les jeunes contrevenants qui a permis au Canada de réduire son taux de criminalité juvénile de 23 % depuis 1991. C'est grâce à cette même loi que le Québec affiche le plus bas taux de criminalité juvénile au Canada. Pourtant, le gouvernement libéral tient mordicus à la rendre plus répressive.

Aux dires de la ministre de la Justice, Anne McLellan, ce projet de loi vise principalement à rétablir la confiance du public dans le système de justice juvénile. Or, les experts ont toujours dénoncé ouvertement une telle approche.

Le projet fédéral prône pour des jeunes de 14 et 15 ans des peines d'emprisonnement semblables à celles imposées aux adultes. La philosophie dont il s'inspire est celle de la répression et de l'emprisonnement plutôt que la réhabilitation et le soutien des jeunes en difficulté.

Au Québec, où la loi actuelle satisfait tous les intervenants, une opposition très vive s'est manifestée.

L'ancien ministre libéral de la Justice, Allan Rock, déclarait ceci, en mai 1996 : « Aussi difficile que soit le problème de la criminalité juvénile, il ne sera pas résolu par une modification du libellé de la loi[5]. »

Nous sommes en droit de nous demander ce qui a bien pu se passer depuis ce temps pour que le gouvernement change d'avis.

Peut-être est-ce ce vent de droite qui souffle de l'Ouest et qui semble avoir atteint l'Ontario ? Car, pour l'Alliance canadienne, le projet actuel du gouvernement ne va pas assez loin, n'est pas assez répressif. En avril 1994, Stockwell Day, alors ministre albertain du Travail, affirmait dans le *Vancouver Sun* que les jeunes adolescents coupables de meurtre devraient se voir imposer la peine de mort[6].

Entre la réhabilitation, que prône le Québec, et la répression, que prônent certains dans l'Ouest et en Ontario, le gouvernement fédéral a choisi la répression. Pour arracher une poignée de votes à l'Alliance canadienne, le gouvernement de Jean Chrétien n'hésitera pas à sacrifier l'avenir de centaines de jeunes Québécois et de jeunes Canadiens.

Au moment d'écrire ces lignes, j'ignore si le gouvernement libéral réussira à faire adopter son projet de loi. Mon collègue Michel Bellehumeur, porte-parole du Bloc en matière de Justice, a déposé des centaines d'amendements afin de ralentir la procédure. Il aurait suffi que le gouvernement accepte un seul argument pour que le Bloc cesse son obstruction. Il se lit comme suit : « La présente loi s'applique à toutes les provinces

---

5. Allan Rock, Questions orales, vendredi 31 mai 1996.
6. *Vancouver Sun*, 21 avril 1994.

sauf au Québec. Dans ce dernier cas, les dispositions de la Loi sur les jeunes contrevenants continuent de s'appliquer.»

Personne, au Québec, n'accepte de reculer 30 ans en arrière. Si le Canada y tient, pourrait-il s'abstenir d'y entraîner le Québec? Non! répond le gouvernement fédéral, il n'est pas question que le Québec continue à appliquer la loi actuelle qui, pourtant, donne d'excellents résultats.

La Fondation des bourses du millénaire

Le 24 janvier 2000, lors d'une entrevue accordée à RDI, Elysabeth Carlyle, de la Fédération canadienne des étudiants, qualifie la Fondation des bourses du millénaire de «programme mal fait du début à la fin». Le lendemain, une étudiante ontarienne tient une conférence de presse pour annoncer qu'elle refuse une bourse du millénaire, car celle-ci va la pénaliser financièrement plutôt que l'aider. Deux ans après l'annonce du gouvernement fédéral de février 1998, un vent de protestation se lève au sein du mouvement étudiant canadien. Des étudiants qui protestent contre l'octroi de bourses d'études? Il y a de quoi surprendre.

Le 28 février 1998, en réponse au discours sur le budget, je disais ceci:

> Il nous parle d'envoyer un chèque — ou, dirait-il, un «tchèque», plutôt — aux étudiants. Cela me rappelle ce mépris qu'il avait exprimé à l'endroit des chômeurs gaspésiens, il y a quelques années, en disant: «Tout ce qui intéresse les chômeurs en Gaspésie, c'est de recevoir leurs «tchèques» d'assurance-chômage.» Or ça, c'est du mépris. Il a oublié, ce premier ministre, peut-être ne le

savait-il pas, qu'au Québec, il existe un régime de prêts et bourses infiniment plus développé que partout ailleurs au Canada, et cela, depuis au-delà de 30 ans. C'est pour cela que le Parti libéral, le Parti québécois, les recteurs d'universités, les dirigeants de cégeps, les étudiants, les professeurs sont unanimes; ils n'en veulent pas de ce Fonds du millénaire, parce qu'il y a un régime de bourses au Québec.

Jean Chrétien, lui, déclare que :

> Les étudiants ont le droit de savoir d'où vient l'argent qu'ils reçoivent. Nous croyons qu'il est important que chaque citoyen du Québec sache exactement ce que les impôts qu'il paie au fédéral lui rapportent.

Deux ans plus tard, le Fonds de dotation des bourses du millénaire est imposé au Québec comme partout ailleurs, mais l'action concertée du gouvernement du Québec et de l'Assemblée nationale, des étudiants et des recteurs, relayée par le Bloc à la Chambre des communes, oblige le gouvernement fédéral et la Fondation à accepter la position québécoise. C'est ce qui explique qu'aujourd'hui, le dossier est clos pour les étudiants québécois. Les difficultés des étudiants canadiens, malheureusement, ne font que commencer.

On ne peut que le déplorer. Mais il faut savoir que le gouvernement fédéral se mêle depuis longtemps d'aide financière aux étudiants sans que cela ne cause de remous au Québec. Depuis 1964, celui-ci profite en effet d'un droit de retrait avec pleine compensation. Si le gouvernement fédéral avait simplement voulu accroître son aide aux étudiants, personne au Québec ne s'y serait opposé, bien au contraire. Mais Jean Chrétien voulait de la visibilité en envoyant directement aux étudiants des chèques portant le logo du gouvernement du Canada. C'est pourquoi il a voulu créer une Fondation, astuce lui permettant de contourner le droit de retrait du Québec.

Il affirmait vouloir réduire les dettes accumulées par les étudiants. Or, en 1998, la dette étudiante moyenne au Québec était de 11 000 $ et au Canada, de 25 000 $. Voilà des chiffres qui suffisent à expliquer que le système québécois est différent du système canadien. Cette différence est fondée sur le choix que nous avons fait au Québec de favoriser la plus grande accessibilité possible aux études. Les Canadiens ont préféré un autre type de système et cela est parfaitement légitime.

J'en conclus que dans ce dossier, nous retrouvons les éléments essentiels qui motivent le combat politique du Bloc Québécois. Le premier est celui du caractère distinct du Québec. Il y a, dans ce dossier qui touche à l'éducation, deux visions distinctes. Les étudiants canadiens ont un problème d'endettement très sérieux et le gouvernement fédéral décide d'y remédier, nonobstant le fait qu'au Québec le problème est beaucoup moins aigu et le remède proposé pire que le mal. Il y a là la conséquence concrète de la construction en parallèle de deux pays, l'un imposant à l'autre ses solutions uniques et uniformes.

Le deuxième élément frappant dans ce dossier, c'est la soif de visibilité sans limite qui s'est emparée du gouvernement fédéral et qui a été au cœur de l'impasse entre le Québec et Ottawa. Or, si cette volonté d'imposer la visibilité fédérale peut paraître anodine, voire pittoresque lorsque cela vient de Jean Chrétien, le cœur de la question c'est le droit de retrait avec compensation. Car lorsque le gouvernement

fédéral veut être visible, il invente un programme pancanadien.

Le gouvernement du Canada ne peut à la fois être
« visible » et accepter le droit de retrait du Québec.
Cette soif de visibilité n'est pas propre à Jean Chrétien
ou à tout autre représentant politique fédéral; elle est
seulement la manifestation la plus « visible » de l'impossibilité, pour le Canada, de reconnaître le caractère
distinct du Québec et sa conséquence logique: le droit
de retrait avec compensation.

Le troisième élément est le cynisme du gouvernement fédéral. Les coupures du gouvernement libéral
dans le Transfert social canadien entre 1994 et 2000
représentent une somme de plus de six milliards de
dollars pour le Québec. Ce qui signifie des coupures
de plus de un milliard de dollars dans les transferts
fédéraux destinés à l'éducation au Québec. Bien plus
que ce que les bourses du millénaire rapporteront aux
étudiants québécois au cours des 10 prochaines
années. Autrement dit, lorsque Jean Chrétien enlève
un milliard aux étudiants québécois, il laisse au gouvernement du Québec la visibilité qui vient avec les
restrictions budgétaires et le prix politique à payer. Et
pendant que les gouvernements des provinces se
débattent avec les problèmes budgétaires que leur
refile le gouvernement fédéral, Jean Chrétien se lève,
paré de son voile de vertu, et annonce que lui, il sera
généreux avec les étudiants. Quel cynisme! Le rôle du
Bloc Québécois, c'est de démontrer que sous ce voile,
le roi est nu.

Les transferts sociaux

L'argent, c'est le nerf de la guerre, dit-on. Le TSCPS, acronyme désignant les transferts du gouvernement fédéral vers les provinces *pour la santé, l'éducation* et *le soutien* du revenu, c'est une question d'argent, de chiffres, de méthodes de calcul, de manque à gagner et de bien d'autres considérations qui lassent rapidement ceux pour qui toute cette mécanique n'est pas familière.

En simplifiant, nous pourrions dire que le TSCPS constitue l'effort financier du gouvernement fédéral, sa part des dépenses liées aux systèmes de soins de santé, d'éducation et d'aide sociale dont sont responsables les provinces. En principe, donc, il s'agit d'un instrument fort louable avec lequel le gouvernement fédéral aide les provinces à livrer des services essentiels aux Québécois et aux Canadiens.

En principe seulement, car le gouvernement fédéral s'en est servi pour faire la guerre aux provinces et, dans la foulée, se dégager une marge de manœuvre lui permettant d'étancher sa soif de visibilité, essentielle pour mettre en lumière son rôle et son drapeau.

Premier acte : la lutte au déficit. Lorsque le gouvernement Chrétien arrive au pouvoir en 1993, il fait face à deux problèmes graves, le déficit et un éventuel référendum sur la souveraineté du Québec. Pour régler le premier, il peut compter sur un instrument mis en place par les conservateurs : la TPS. Il trahira sa promesse de l'éliminer. Il faut également couper dans les dépenses, mais il y a un prix politique à payer sauf si ces coupures sont invisibles.

La solution évidente consiste à sabrer le TSCPS de dizaines de milliards de dollars. Ce sont les provinces qui doivent rendre des comptes lorsque les systèmes de soins de santé, d'éducation et d'aide sociale connaissent des ratés. En sus, cette méthode permet d'affaiblir financièrement l'État québécois, un avantage non négligeable avec un référendum en vue.

Ce raisonnement limpide, séduisant pour un premier ministre canadien, il fallait beaucoup de cynisme pour l'appliquer avec une telle ardeur. Car en bout de ligne, ceux qui ont souffert de ces coupures, ce sont les malades, les étudiants et les pauvres, les médecins, les infirmières, les professeurs et l'ensemble des travailleurs des réseaux de la santé ou de l'éducation. Le gouvernement libéral a effectué plus de la moitié de ces coupures à même le TSCPS.

Deuxième acte : le chantage. Une fois le déficit effacé et les surplus budgétaires fédéraux apparaissant (ils ont été révélés en grande partie grâce au travail d'Yvan Loubier), le Bloc et les provinces ont demandé au gouvernement fédéral de renoncer aux coupures prévues jusqu'en 2002-2003. Le prétexte du déficit ne tenait plus. Pourtant, le gouvernement fédéral refuse et va jusqu'à narguer les provinces avec de nouveaux programmes comme les bourses du millénaire. Un avertissement, en quelque sorte. La démonstration, par le gouvernement fédéral, qu'il pouvait très bien dépenser de l'argent en éducation sans recourir au TSCPS et s'assurer ainsi une forte visibilité. Pour les gouvernements provinciaux, la situation était difficilement tenable, particulièrement en santé où les besoins d'argent étaient et restent criants. Pour utiliser une métaphore, c'est comme si un voleur vous narguait en dépensant vos sous et vous disait : si tu veux que je te redonne ton argent, que me donnes-tu en échange ? Il s'agirait bien sûr d'un chantage inqualifiable.

Troisième acte : l'application de l'union sociale. Le Premier ministre du Canada, le Très honorable Jean Chrétien, demande aux Premiers ministres des provinces de signer un document par lequel les provinces s'engageront, dorénavant, à rendre des comptes au gouvernement fédéral et à appliquer des normes communes et uniques sur leur gestion des systèmes de soins de santé. À quelques jours de la réunion du 11 septembre, le consensus des Premiers ministres de n'accepter aucune norme imposée par Ottawa semble s'effriter. Mais, coup de théâtre ! Le Premier ministre de l'Ontario, Mike Harris, affirme qu'il ne saurait y avoir d'entente sans l'accord du Québec. Le front commun Québec-Ontario tient bon. Le Québec et les provinces recevront 21 milliards de dollars pour la santé. Une défaite pour Jean Chrétien.

Le Québec ne pourra accepter cela. Le Québec sera-t-il encore une fois isolé ? Il y a fort à parier que oui, car sur ce territoire, deux pays se construisent dans un régime où il n'y a place que pour un seul. Or, ma question est celle-ci : pourquoi l'un de ces pays, nommément le Québec, devrait-il renoncer à se construire ?

II

La solidarité

Il n'y a plus de déficits au Canada, ce qui veut dire
que les familles pauvres sont plus riches.

PIERRE PETTIGREW,
le lundi 11 mai 1998

La lutte à la pauvreté

L E 24 NOVEMBRE 1999, le Bloc Québécois propose la
motion de blâme suivante à la Chambre des communes :

> Que la Chambre condamne le gouvernement pour avoir
> fait preuve d'insouciance à l'endroit des enfants pauvres
> au Canada, pour avoir aggravé leur situation et avoir
> manqué à l'engagement unanime de cette Chambre
> d'éliminer la pauvreté chez ces enfants avant l'an 2000.

Le 24 novembre 1989, la Chambre des communes
avait adopté à l'unanimité la résolution suivante :

> Que la Chambre témoigne de son souci pour le million et
> plus d'enfants canadiens qui vivent dans la pauvreté et
> s'emploie à réaliser l'objectif d'éliminer la pauvreté chez
> les enfants du Canada d'ici l'an 2000.

Depuis cette date, la pauvreté au Canada s'est étendue. Est-ce acceptable ? Devons-nous accepter la pauvreté avec fatalisme, comme si tout ce que nous entreprenions était voué à l'échec face à un phénomène multiforme, récurrent et universel ? Depuis 1994, l'économie canadienne a crû à un rythme soutenu. Au cours des cinq prochaines années, le gouvernement canadien amassera des surplus budgétaires de plus de 150 milliards de dollars ; cela donne une indication de la vigueur de la reprise économique.

Ces surplus budgétaires gigantesques se sont constitués à partir de deux pôles : la croissance économique, tributaire d'une économie américaine florissante, et les coupures budgétaires effectuées par le ministre des Finances, Paul Martin, dans les transferts sociaux et l'assurance-emploi. Une bonne moitié de l'effort budgétaire qui aura permis à Paul Martin de juguler le déficit s'est donc faite au détriment des plus démunis.

Le déficit aurait pu être éliminé en protégeant les pauvres, plutôt qu'en s'attaquant à eux. En 1997, le Bloc Québécois proposait une réforme de la fiscalité des entreprises qui aurait permis au ministre de récupérer 3 milliards par année. Paul Martin a chaleureusement félicité le Bloc Québécois pour cette analyse. Mais il n'a rien fait. Ou plutôt si, il a déposé le projet de loi C-28 qui assouplit la Loi de l'impôt pour favoriser les armateurs canadiens qui détiennent des filiales dans des paradis fiscaux. Une loi modelée expressément pour la Canadian Steamship Line, propriété de Paul Martin. Le symbole est frappant : il introduit un nouvel abri fiscal en pleine période de restrictions budgétaires plutôt que d'éliminer les plus injustes.

Au lieu de réviser sérieusement tous ses programmes et d'éliminer tous les dédoublements du gouvernement fédéral dans les champs de compétence provinciale, Paul Martin a préféré sabrer les transferts sociaux. Pourtant, plus de 200 organismes composent le gouvernement fédéral ; ils gèrent des milliers de programmes, dont plusieurs se chevauchent dans une toile inextricable que personne ne contrôle totalement, ni le gouvernement, ni la Chambre des communes.

Plutôt que de mettre fin à des programmes notoirement inutiles ou inefficaces, comme le Fonds transitoire de création d'emploi (FTCE), l'opération un million de drapeaux, le Bureau d'information du Canada (BIC) ou encore les projets du millénaire, le Canada abandonne peu à peu le financement du logement social où les besoins sont plus criants que jamais.

Par ailleurs, l'effort financier consenti par le Canada en l'an 2000 pour l'aide internationale est le plus faible des 30 dernières années. Le gouvernement fédéral préfère mettre ses énergies dans la vente de réacteurs CANDU au tiers-monde, sans grand succès d'ailleurs, plutôt que d'investir dans l'éducation, la santé, l'agriculture ou le transfert technologique.

La pauvreté n'est pas une fatalité. Le gouvernement fédéral a fait des choix qui ont eu un impact certain sur des êtres humains, certains d'entre eux parmi les plus démunis. Au Québec seulement, il a privé les prestataires de l'aide sociale de plus de 1,5 milliard de dollars en cinq ans. Cet argent aurait pu les aider à réintégrer la société. Par suite des réformes à l'assurance-emploi, seulement quatre chômeurs sur dix ayant cotisé au régime ont pu bénéficier de prestations. Des régions entières ont été dépouillées de dizaines de millions de dollars. En Gaspésie, où l'emploi est très largement saisonnier, ces choix ont parfois eu des répercussions humaines tragiques. Et comment oublier que l'industrie de la pêche, qui produit maintenant plus de chômeurs que d'emplois, dépendait et dépend toujours de la gestion des stocks de poissons par le même gouvernement fédéral ? C'est inquiétant...

Maintenant que le déficit est éliminé, des choix éclairés permettraient à la fois des baisses d'impôt massives et une offensive sans précédent contre la pauvreté. Le Bloc Québécois le démontre, session après session, à la Chambre des communes. Christiane Gagnon, députée de Québec et porte-parole du Bloc en matière de pauvreté, a pris l'engagement solennel, au nom du Bloc Québécois, de faire de la pauvreté une priorité. Plusieurs projets de loi ont été déposés en ce sens par le Bloc Québécois, notamment l'inclusion dans la Charte des droits de la condition sociale comme facteur illicite de discrimination.

Assurance-emploi

Le Bloc Québécois a été à l'avant-garde de la lutte contre le pillage systématique de la caisse d'assurance-emploi, et ce, à partir de l'élection de 1997. Le travail incessant de Paul Crête, notre porte-parole au développement des ressources humaines, aura mis au jour les falsifications, les demi-vérités et l'absence d'humanisme qui se cachaient derrière les « mesures actives » du ministre de l'époque, Pierre Pettigrew.

À l'époque, par le maquillage statistique, le gouvernement tentait de faire croire à la population que l'accès à l'assurance-emploi avait peu diminué et qu'environ 75 % des chômeurs cotisants y avaient droit. C'était complètement faux. En 1997, 42 % seulement des cotisants ayant perdu leur emploi ont réussi à toucher des prestations. Pour les jeunes de 20-24 ans, le ratio était tombé à 26 %.

Le 10 décembre 1997, Pierre Pettigrew déclarait à la Chambre des communes :

> Je ne crois absolument pas que notre réforme ait fait augmenter la pauvreté. Je crois au contraire que notre réforme contribue à l'heure actuelle au dynamisme de l'économie canadienne dont tout le monde se félicite.

Une note de service de son propre ministère que nous avions alors obtenue en vertu de la Loi d'accès à l'information affirmait exactement le contraire. Son auteur expliquait que les surplus de la caisse étaient attribuables dans une proportion de 78 % aux coupures du ministre et le reste, 22 %, à l'amélioration de la conjoncture économique.

Une étude des économistes Pierre Fortin et Pierre-Yves Crémieux démontrait que les resserrements importants à l'assurance-chômage depuis le début des années quatre-vingt-dix avaient fait augmenter le nombre d'inscriptions à l'aide sociale de 26 %. Pour le Québec, cela représentait des coûts supplémentaires de 845 millions de dollars.

À force de nous élever contre cette injustice, de déposer des projets de loi visant à humaniser le régime et d'exiger que la caisse d'assurance-emploi soit séparée du fonds consolidé du gouvernement, nous avons pu convaincre les trois autres partis d'opposition de former une coalition[1]. Nous avions déjà l'appui de la

---

1. Comme nous avions réussi à le faire deux semaines auparavant en appui aux premiers ministres réunis à Saskatoon qui exigeaient le rétablissement des paiements de transfert.

CSN, de la FTQ, de la CEQ, du CTC et des représentants des entreprises indépendantes. Le gouvernement Chrétien a opposé une fin de non-recevoir à cette demande sans précédent.

Nous sommes allés plus loin encore, démontrant que l'esprit des réformes à l'assurance-emploi tenait d'une véritable chasse aux chômeurs. En vertu d'une logique tordue, des directives émanant d'Ottawa imposent des quotas — chaque bureau devant récupérer x millions $ des mains des chômeurs — aux bureaux régionaux de DRHC qui, à défaut d'être atteints, auront pour conséquence des coupures de personnel. Information tellement gênante pour le ministre Pettigrew que son bureau a retenu des documents demandés par un journaliste de TVA. Sévèrement blâmé par le Commissaire de la Loi d'accès à l'information, le ministre a refusé de démissionner, même s'il a «défié» la loi, pour reprendre les mots du Commissaire. Mais le plus grave, c'est de motiver ses fonctionnaires, non pas à aider les chômeurs, mais à les traquer!

Nous n'avons pas lâché prise et, au printemps 2000, Paul Crête a déposé une proposition globale reprenant les projets de loi et les solutions que nous avions déjà proposés au cours des dernières années.

Ainsi, nous avons révélé les véritables conséquences des réformes (l'appauvrissement), les véritables intentions du gouvernement fédéral (le pillage de la caisse et la chasse aux chômeurs), et nous avons avancé un ensemble de propositions visant à humaniser le régime d'assurance-emploi. Tout est sur la table: les faits, les intentions de chacun et les solutions. Il ne reste qu'une chose à faire pour le gouvernement fédéral: choisir de lutter contre la pauvreté ou continuer de l'exacerber.

La fiscalité

En novembre 1996, le Bloc Québécois, sous l'égide d'Yvan Loubier, publiait une analyse critique sur les dépenses fiscales des entreprises au Canada. De cette analyse saluée par plusieurs spécialistes, il ressortait que la fiscalité des entreprises n'avait pas été révisée globalement depuis 30 ans. Pendant cette période, la prolifération des dépenses fiscales accordées aux grandes sociétés a fait chuter la proportion des recettes fiscales provenant des entreprises de 23 % en 1961 à 9 % en 1995.

Alors que certaines dépenses fiscales permettent à plusieurs entreprises très rentables d'échapper au fisc, d'autres qui visent à créer des emplois, par exemple, sont désuètes ou inéquitables. Selon les estimations de l'époque, une révision complète des dépenses fiscales offertes par Revenu Canada permettrait des économies de l'ordre de 3 milliards de dollars par année. Ces économies auraient très bien pu servir à l'élimination du déficit. Cela eût été plus équitable que de piger dans la caisse d'assurance-emploi et plus efficace au niveau économique. Mais le gouvernement fédéral a choisi l'inertie.

La fiscalité des particuliers est tout aussi inéquitable. Une famille avec deux enfants, ayant deux revenus de travail, ne commencera, en 2002, à payer des impôts, au Québec, qu'à partir du moment où son revenu atteint 34 846 $, alors qu'au niveau fédéral, elle paiera des impôts à partir de 14 948 $[2]. Le budget 2000 constituait une formidable occasion, pour le ministre

---

2. Selon Bernard Landry, ministre québécois des Finances. Discours sur le budget 2000-2001, p. 11.

des Finances, de relever ce seuil à un niveau décent afin que les familles pauvres ne paient aucun impôt. Occasion ratée.

Quant aux baisses d'impôt annoncées par Paul Martin dans ce budget, deux mesures ont attiré notre attention: la diminution de l'impôt sur les gains en capital et l'élimination de la surtaxe de 5%. La première rapportera en moyenne 110$ par année aux contribuables de la classe moyenne (revenu de 25 000$ à 70 000$/an), 858$ aux contribuables à revenu élevé (100 000$ à 250 000$) et 4921$ à ceux qui gagnent plus de 250 000$ par année.

Quant à l'abolition de la surtaxe de 5%, elle est légitime en soi, car cette mesure visait à éliminer le déficit en demandant aux contribuables à revenu élevé de faire un effort supplémentaire. Le déficit étant éliminé, la surtaxe doit être abolie. Mais pourquoi le même raisonnement ne s'applique-t-il pas aux pauvres, aux chômeurs et à la classe moyenne, à ceux qui ont supporté le plus gros de la lutte au déficit?

À l'approche de la prochaine élection fédérale, la fiscalité sera au cœur du débat. Les énormes surplus budgétaires du gouvernement fédéral nous placeront devant un choix. Et des possibilités énormes pour lutter contre la pauvreté sont réunies. Le Bloc Québécois a déjà choisi. Ce sera la solidarité.

Le travail

Depuis la Révolution tranquille, le Québec s'est doté d'une législation du travail progressiste, qui tient compte de l'équilibre nécessaire entre la protection des travailleurs et la souplesse du marché du travail. La loi anti-briseurs de grève, la CSST et, plus récemment, les mesures interdisant les clauses discriminatoires témoignent de ce souci.

La législation du travail, au Canada, est double. Il y a le Code canadien du travail et les lois provinciales (au Québec, le Code québécois du travail). Les entreprises relevant du fédéral ont une vocation interprovinciale — télécommunications, transport, postes, etc. — tandis que les autres sont régies par la législation québécoise. Il y a donc deux régimes et deux classes de travailleurs.

L'exemple le plus récent, très révélateur, est celui du retrait préventif des travailleuses enceintes ou allaitantes, qui est revenu à l'avant-scène lors du dépôt du projet de loi C-12 modifiant la partie II du Code canadien du travail. Au Québec, les travailleuses relevant de la réglementation québécoise ont la possibilité d'obtenir, en vertu de la Loi sur la santé et la sécurité du travail (LSST) qui est gérée par la CSST, une réaffectation ou un retrait préventif avec une rémunération équivalente à 90 % de leur salaire net. Ainsi, une travailleuse à risque n'a pas à choisir entre son revenu et sa santé.

Par contre, les travailleuses québécoises soumises à la législation fédérale n'ont pas la possibilité d'obtenir de rémunération en cas de retrait préventif, à moins de souscrire à une assurance privée. Il y a bien une assurance publique, mais il s'agit de l'assurance-emploi. La travailleuse ne recevra alors qu'un maximum de 50 % à 55 % de son « salaire assurable » et encore, à condition qu'elle réponde aux critères d'admissibilité. C'est mieux que rien, diront certains. Plusieurs femmes en viennent toutefois à prendre des risques plutôt que de voir leur salaire amputé de moitié ou de ne rien recevoir du tout. Elles sont souvent obligées de choisir entre leur revenu et leur santé.

C'est troublant, dans une société, que certaines travailleuses aient des droits et d'autres pas. C'est la réalité canadienne. Lorsque nous avons proposé de modifier la législation afin que toutes les travailleuses québécoises et leurs consœurs canadiennes bénéficient des mêmes droits (les autres provinces n'offrent pas le retrait préventif avec rémunération), on nous a opposé un refus. Le seul choix possible pour le Québec, s'il voulait mettre fin à ce régime à deux vitesses sur son territoire, était de retirer des droits à ses travailleuses, de niveler les droits sociaux par le bas. Donc, de reculer 20 ans en arrière. C'est inacceptable.

En dernier recours, Monique Guay, porte-parole du Bloc en matière de travail, a déposé des amendements au projet de loi C-12. Des amendements où tout le monde sortait gagnant et qui visaient à permettre à toutes les femmes enceintes ou allaitantes qui travaillent au Québec de bénéficier de la législation québécoise. Ainsi, il n'y aurait plus de régime à deux vitesses, ni au Québec, ni au Canada. Ces amendements, raisonnables et novateurs, ont été rejetés par les députés libéraux, y compris ceux du Québec.

L'histoire se répète avec la Loi anti-briseurs de grève du Québec, inexistante au fédéral. Pourtant, qui ne se souvient pas de la participation de Pierre Elliot Trudeau au combat syndical lors de la grève d'Asbestos?

Le Bloc Québécois a également tenté d'amorcer un débat sur l'emploi des clauses discriminatoires en déposant au Parlement un projet de loi préconisant leur interdiction. Le débat battait son plein au Québec et le devoir du Bloc était d'y faire écho à Ottawa, car beaucoup de jeunes travailleurs et travailleuses dépendent de la législation fédérale. Cependant, la majorité gouvernementale ne semble guère s'émouvoir des écarts entre les générations. Ce n'était pas faute d'appuis des députés des autres partis d'opposition puisque Richard Marceau, alors porte-parole du Bloc en matière de travail, a recueilli la signature de plus de 100 députés (dont une cinquantaine des autres partis) favorables à son projet de loi. Nous devrons revenir à la charge, bien sûr.

Mais encore faudrait-il que le gouvernement fédéral décide de combattre la pauvreté. Car les lois du travail peuvent être, au choix, un facteur d'appauvrissement ou un outil de lutte contre la pauvreté. Pour l'instant, le gouvernement fédéral a choisi la première voie.

L'aide internationale

Dans le cadre de la réponse du Bloc Québécois au discours du budget de Paul Martin le 13 avril dernier, Francine Lalonde, porte-parole en matière d'affaires extérieures, citait Jean Chrétien, alors en visite au Sénégal :

> Nous sommes une nation riche et nous devons être capables de partager [...] Il y a beaucoup de problèmes économiques et sociaux partout dans le monde. Voilà pourquoi l'approche équilibrée du gouvernement fédéral, qui consiste à garder de l'argent pour assurer le développement du Canada tout en poursuivant l'aide internationale, est importante.

En fait, l'aide accordée par le Canada en 1999-2000 est à son plus bas niveau depuis 30 ans. À l'arrivée des libéraux au pouvoir, l'aide canadienne équivalait à 0,42 % de son PIB, contre 0,24 % seulement en 1999-2000. Plutôt que de progresser vers l'objectif de 0,7 % du PIB, le Canada diminue son aide année après année. Il y a là aussi, au-delà des beaux discours, une réalité qui procède de choix, de choix budgétaires en l'occurrence. Mais il y a plus.

Le gouvernement du Canada, et Jean Chrétien au premier chef, ne manque jamais une occasion d'éveiller le monde des affaires aux débouchés commerciaux emballants dans les pays en voie de développement. L'Agence canadienne de développement international (ACDI) en est rendue à produire des guides à l'exportation, y compris des études des marchés des pays en voie de développement. Le ministère des Affaires étrangères joue déjà ce rôle. Pourquoi faire double emploi ? Les ressources de l'ACDI ne devraient-elles pas être consacrées à la coopération et à l'aide ?

Comme les budgets de l'aide internationale devaient servir à lutter contre le déficit, et non pas, par exemple, à acheter des drapeaux, pourquoi le Canada n'a-t-il pas concentré son aide sur quelques régions spécifiques de la planète et sur quelques problèmes particuliers ? En amputant les budgets d'aide internationale à ce point, n'a-t-on pas choisi la voie de la facilité ?

Enfin, si les budgets devaient absolument être réduits, ce qui est douteux, pourquoi ne pas commencer par resserrer la gestion d'un organisme comme l'ACDI. Chaque année, l'ACDI verse un milliard de dollars à des tiers responsables de mener à terme des projets d'aide au développement. Un rapport de vérification interne déposé en décembre dernier indiquait qu'il y avait peu d'analyses documentées des retombées projetées ; il n'y avait pas de comparaison systématique des retombées effectives et projetées ni de validation systématique des données sur les retombées effectives. Derrière ce langage abscons, se cachent les mêmes problèmes de gestion décrits dans le rapport de vérification qui a permis de dévoiler le scandale que l'on sait à DRHC. Des sommes destinées à l'aide internationale ont-elles été détournées à l'ACDI ?

Les agissements d'un gouvernement chez lui sont souvent très révélateurs de son action à l'étranger. Un gouvernement qui laisse la pauvreté s'étendre sur son territoire est peu susceptible de se comporter différemment au-delà de ses frontières. Un gouvernement qui dilapide des milliards par l'entremise d'un ministère chargé de venir en aide à la population (DRHC, par exemple) fera de même avec un organisme d'aide aux pays en voie de développement. Est-ce cela, « l'approche équilibrée du gouvernement fédéral » dont se vantait le premier ministre auprès des Sénégalais ?

L'environnement

Depuis cinq ans, plusieurs sondages indiquent que de 80 à 95 % de la population canadienne et québécoise exige l'étiquetage obligatoire des organismes génétiquement modifiés (OGM). Il ne s'agit pas de porter un jugement définitif sur cette technologie, mais d'offrir aux consommateurs la possibilité de choisir. Car ce sont eux qui sanctionneront le mérite de ces technologies.

L'inquiétude de la population face aux OGM est compréhensible, particulièrement au Canada. Dans ce domaine, le ministère fédéral de la Santé et l'Agence canadienne d'inspection des aliments n'ont pas l'expertise nécessaire et manquent de ressources humaines et de fonds. Pour approuver les produits transgéniques, le gouvernement fédéral se fie aux études effectuées par les entreprises et se contente de réviser les protocoles qu'elles fournissent. Il ne procède à aucune contre-expertise des plantes et aliments mis sur le marché. Comment le gouvernement fédéral peut-il garantir la sécurité de ces aliments sans études scientifiques indépendantes, cela demeure un mystère. D'autant que les contributions des entreprises de biotechnologie, telle Monsanto, à la caisse électorale du Parti libéral du Canada minent la crédibilité du gouvernement dans ce dossier.

En fait, le gouvernement fédéral a abdiqué ses responsabilités d'informer et de protéger le public et mène une politique à courte vue axée uniquement sur un développement rapide des biotechnologies pour conquérir 10 % du marché mondial. Ottawa a adopté une attitude entièrement et aveuglément pro-OGM. Ce faisant, il ignore deux des recommandations importantes de son Comité consultatif national de la biotechnologie : se pencher sur les aspects éthiques, médicaux, juridiques et sociaux des biotechnologies et consulter et informer la population.

Hélène Alarie, porte-parole du Bloc Québécois en agriculture, a entrepris une tournée d'information dans toutes les régions du Québec en 1999-2000 et a recueilli pas moins de 43 000 signatures en quelques mois. Elle a depuis déposé un projet de loi sur l'étiquetage obligatoire des aliments transgéniques. Ce débat est sérieux. Il touche à la fois la santé, l'environnement, l'agriculture et le commerce international. Pour faire un choix éclairé, il faut avoir tous les éléments en main. Pour l'instant, le gouvernement fédéral refuse de se doter et de nous doter de ces éléments d'information.

Dans ses deux derniers discours du Trône, le gouvernement fédéral a annoncé qu'il ferait de la protection de l'environnement une de ses priorités, qu'il s'attaquerait fermement à la question des changements climatiques et qu'il ferait la promotion du développement durable à l'échelle internationale. Force est de constater que les sommes investies ces dernières années font pâle figure compte tenu des besoins. Malgré ses beaux discours, le gouvernement libéral affiche un piètre bilan environnemental.

Le dossier des gaz à effet de serre constitue un bon exemple de l'incurie du gouvernement fédéral en matière d'environnement. En signant la Convention sur les changements climatiques et le Protocole de Kyoto, le Canada s'est engagé à réduire ses émissions de gaz à effet de serre. Pourtant, toutes les décisions importantes du gouvernement vont dans le sens opposé.

Que dire du projet de train rapide Québec-Windsor qui, selon le rapport final conjoint Ontario-Québec-Canada, contribuerait à abaisser de 20 % la consommation d'énergie pour le transport interurbain et réduirait les émissions de gaz carbonique au Québec. Malgré les demandes insistantes de Michel Guimond, notre porte-parole en matière de transport, ce projet a été complètement abandonné par le gouvernement fédéral. Pourquoi ? Entre-temps, le réseau ferroviaire québécois est passé de 9000 km en 1986 à quelque 6000 km aujourd'hui. Le transport par camions, qui connaît une expansion considérable, pollue et soumet les routiers à des conditions de travail pénibles. Avec la hausse du prix du carburant, ce mode de transport sera de moins en moins avantageux au plan économique, tout en étant plus polluant que le rail. Pourtant, le gouvernement fédéral continue de le privilégier au nom de considérations économiques à court terme.

La protection de l'environnement, c'est la voie de l'avenir et elle ne s'oppose pas au succès économique. En fait, le Québec détient un potentiel de développement très intéressant dans ce secteur. Par des législations plus respectueuses de l'environnement, il sera possible de stimuler davantage les industries et de favoriser le développement de technologies « alternatives » et de méthodes innovatrices de dépollution. Nous y gagnerons tous si nous parvenons à inculquer des approches intégrant une utilisation viable de nos ressources, des pratiques énergétiques réfléchies et une vision à plus long terme du bien commun.

La solidarité, en pratique, consiste à se préoccuper des autres. Et quel plus bel exemple de solidarité que celle qui consiste à agir pour les générations à venir, pour tous ceux qui n'ont pas la possibilité d'intervenir aujourd'hui ?

Notre porte-parole en environnement, Jocelyne Girard Bujold, a d'ailleurs su défendre avec conviction, dans l'ensemble de ses dossiers, l'importance de favoriser un développement économique respectueux de l'environnement afin de ne pas hypothéquer la capacité des générations futures d'en faire autant. Son opposition au projet du gouvernement canadien d'importer du MOX russe et américain est en ce sens particulièrement éloquente puisqu'elle repose entre autres sur le refus d'accepter l'irresponsabilité du fédéral quant au sérieux problème de stockage des déchets nucléaires résiduels, lourd héritage pour les générations à venir.

III

Le développement économique

> ... pour être efficaces, les politiques relatives au développement régional doivent satisfaire trois conditions : être adaptées aux besoins spécifiques des régions, être appliquées par le gouvernement qui est le plus en mesure de s'acquitter de cette tâche, et tenir compte de l'ensemble de la politique économique et sociale du gouvernement de la province où sont situées ces régions. L'adaptation des instruments d'action aux besoins régionaux québécois semble difficile à réaliser au niveau du gouvernement fédéral.
>
> JEAN LESAGE

Le développement régional, l'exemple de la Gaspésie

L'ORGANISME FÉDÉRAL chargé du développement régional au Québec porte un nom alambiqué : Développement économique Canada pour les régions du Québec (DECQ). DECQ fait partie du portefeuille du ministère de l'Industrie, dirigé par John Manley, un poids lourd libéral de l'Ontario. Des décisions cruciales pour le développement régional au Québec reviennent donc à un ministre de l'Ontario[1]! Par ailleurs, le nom de cet organisme n'est pas étonnant si l'on en croit son responsable, Martin Cauchon, car il vise à «optimiser la visibilité du gouvernement du Canada[2]...»

À priori, la participation du gouvernement fédéral au développement régional est une bonne chose. Pourquoi et comment refuser l'aide du gouvernement fédéral pour le développement économique de la Gaspésie, par exemple? Peu importe que son objectif soit d'abord et avant tout de manifester sa présence et de pratiquer le patronage dans les régions du Québec. Après tout, l'argent est toujours le bienvenu pour qui en a grandement besoin.

Qu'importe si, en Gaspésie, les quelques millions (six millions en 1998) donnés d'une main par DECQ sont repris de l'autre par les coupures à l'assurance-emploi (neuf millions par an). Qu'importe si la clause discriminatoire appliquée par DRHC envers les jeunes exacerbe l'exode des jeunes Gaspésiens. Qu'importe si le créneau d'investissement privilégié par DECQ, le tourisme, sera peu viable tant que Transports Canada n'acceptera pas d'agrandir l'aéroport de Gaspé. Qu'importe si l'industrie de la pêche a été presque complètement détruite par Pêches et Océans Canada, organisme chargé d'assurer la pérennité des stocks de poisson. Qu'importe si les quais, en Gaspésie et aux Îles-de-la-Madeleine, ont été abandonnés par le même organisme.

---

1. La Loi sur le ministère de l'Industrie établit la compétence du ministre de l'Industrie en ce qui touche le développement économique régional au Québec (Partie II de la Loi).
2. *Partie III — Rapport sur les plans et priorités 1998-1999*, p. 6.

Qu'importe si, lorsque des usines comme la Gaspésia ferment leurs portes, le gouvernement fédéral soit absent. Qu'importe si, lorsque la ministre responsable de DRHC se rend en Gaspésie, elle demande où est le pont reliant la péninsule gaspésienne aux Îles-de-la-Madeleine. Il n'y a pas de pont entre les Îles et le continent, madame, mais plutôt un pont de un milliard de dollars financé par son gouvernement pour relier l'Île-du-Prince-Édouard au continent.

Qu'importe si les coupures fédérales dans le TSCPS représentent une perte de 21 millions de dollars par année pour la Gaspésie et les Îles. Qu'importe si, en vertu du tristement célèbre FTCE[3], la Gaspésie reçoit pour chaque chômeur 123 $, Acadie-Bathurst 397 $ et Restigouche, toujours au Nouveau-Brunswick, 676 $, soit six fois plus ! Qu'importe si les Gaspésiens envoient chaque année plus de 140 millions de dollars en impôts à Ottawa, alors que la part du gouvernement fédéral des investissements en immobilisations dans la région ne représentait, en 1998, que 0,7 % des investissements totaux. Pas même 1 %[4] !

Le gouvernement fédéral, en Gaspésie et aux Îles, n'a strictement rien à gagner à être « visible », si ce n'est masquer ses responsabilités par un babillage publicitaire complètement déconnecté de la réalité. Cette région du Québec a été complètement abandonnée par le gouvernement fédéral. Et de la pire des manières : l'indifférence.

---

3. La comparaison entre le N.-B. et le Québec s'établit ainsi : 738 $ par chômeur au N.-B. et 332 $ au Québec.

4. La répartition des dépenses en immobilisations était la suivante : le gouvernement fédéral, 0,7 % (2,06 millions de dollars) ; le gouvernement provincial, 22,5 % (66,06 millions) ; l'administration locale, 6 % (17,45 millions) ; le secteur privé, 70,8 % (208,1 millions).

Les frais de déglaçage

> Ce que le député propose montre plus clairement
> que jamais que le Bloc Québécois ne saisit tout sim-
> plement pas à quel point il est important que les
> utilisateurs paient au moins une partie des coûts
> des services fournis par l'ensemble des contri-
> buables.
>
> DAVID ANDERSON,
> 2 octobre 1998

> Ils ont proposé un barème de droits. Nous l'avons
> accepté.
>
> DAVID ANDERSON,
> 17 novembre 1998

> En ce moment, nous évaluons les commentaires
> reçus à ce jour, à la demande des intervenants de
> l'industrie. Un barème de droits révisés sera diffusé
> pour observation du public. Mais nous n'avons
> encore pris aucune décision finale.
>
> DAVID ANDERSON,
> 19 novembre 1998

> Aujourd'hui, je suis heureux d'annoncer que nous
> avons accepté la demande de la Coalition de
> réduire le droit. Le nouveau droit entrera en
> vigueur le 21 décembre.
>
> DAVID ANDERSON,
> 4 décembre 1998

Cette bataille intense aura duré près de quatre mois
à la Chambre et sur le terrain. C'est Yves Rocheleau
qui mena la lutte pour le Bloc sur cette question. À
l'automne 1998, la Garde côtière canadienne (GCC)
avisait les utilisateurs de ses services de déglaçage
qu'elle allait dorénavant imposer un tarif sur la base

du principe de l'utilisateur-payeur. Rien de plus équitable. En principe. Mais en réalité, la GCC proposait de facturer 5700 $ par transit portuaire pour tous les utilisateurs. Or, comme 80 % de ces transits se font au Québec, 80 % de la facture allait échouer aux utilisateurs des ports québécois, minant ainsi la compétitivité de ces derniers.

En fait, quelques chiffres suffisent à illustrer le caractère inéquitable de cette mesure. Avec 33 % des heures de services de déglaçage de la GCC dans l'Est du Canada, le Québec devait payer 80 % des frais. En revanche, même si elles obtenaient 50 % des heures de services de déglaçage, les Maritimes ne devaient payer que 12 % de la facture. Utilisateurs-payeurs ?

Si le Québec compte pour 80 % des transits, c'est que les armateurs ont l'habitude, pour rentabiliser leurs activités, de compléter leur cargaison en faisant escale dans plusieurs ports régionaux. Si chaque mouvement de leurs bateaux était facturé 5700 $ (il peut y en avoir jusqu'à 12 par navire), les armateurs réduiraient nécessairement le nombre de leurs escales. Des ports régionaux comme Gros-Cacouna, Matane, Rimouski ou Port-Cartier, qui sont des outils essentiels pour le développement de leur région, risqueraient alors de se faire damer le pion par les ports de la côte est américaine.

Le Bloc Québécois a vite compris que le Québec allait payer pour les autres et que les ports de plusieurs de nos régions étaient menacés par une politique mal conçue. À force de talonner le ministre et de lui expliquer une situation qu'il comprenait fort mal lui-même, le Bloc l'a convaincu de réviser la base sur laquelle il comptait imposer ces frais de déglaçage.

Voilà l'exemple d'une initiative conçue à Ottawa, qui aurait miné le développement économique de plusieurs régions du Québec si le Bloc Québécois n'était intervenu. Le développement économique n'est pas qu'une question de gros sous. C'est aussi une question de connaissance du terrain et de l'environnement dans lequel nous évoluons.

Interférences fiscales

Le gouvernement du Québec consent depuis longtemps des incitatifs fiscaux afin de développer les secteurs clé de son économie ou de venir en aide à des régions en difficulté. Ce n'est rien de très original, puisque presque tous les États ont recours à cette pratique. Sachant par exemple que les investissements en recherche et développement contribuent fortement à hausser le niveau de productivité d'une économie, la plupart des pays de l'OCDE offrent des incitatifs fiscaux dans ce domaine.

Les crédits d'impôt accordés par le gouvernement du Québec pour stimuler les secteurs de la nouvelle économie comme le multimédia ou le commerce électronique sont un bon exemple d'incitatifs fiscaux. Appliqués en fonction du nombre d'emplois créés par les industries du savoir, ces incitatifs visent à attirer des entreprises au Québec ou à favoriser la croissance de celles qui s'y trouvent déjà.

Seulement, puisque nous ne sommes pas maîtres chez nous, ces entreprises doivent payer aussi des impôts fédéraux et les incitatifs fiscaux québécois sont imposés par Revenu Canada. Autrement dit, ce que Québec donne d'un côté, Ottawa le reprend — en partie — de l'autre! En novembre 1996, nous recommandions au ministre des Finances, Paul Martin, de mettre fin à ce type d'interférence fiscale, nuisible pour tous. Nous attendons toujours.

La fiscalité peut également servir d'outil pour venir en aide à une industrie en difficulté, sans pour autant qu'elle se transforme en un gaspillage des fonds publics. L'exemple des chantiers maritimes est instructif. Depuis le début des années quatre-vingt-dix, les emplois, les revenus et les expéditions ont chuté de 60 % dans cette industrie. Depuis 1987, les deux gouvernements ont injecté des millions dans Industrie Davie de Lévis, sans grand succès. Fallait-il oublier cette industrie, la laisser péricliter et laisser tomber les milliers de travailleurs et les communautés qui en dépendent ou tenter quelque chose pour la sauver? Le gouvernement du Québec a choisi la seconde option. Le gouvernement fédéral semble préférer la première.

Le budget 1996-1997 du gouvernement du Québec contenait une série de mesures fiscales visant à favoriser l'essor de l'industrie maritime au Québec. L'étape suivante consistait à harmoniser la politique fiscale fédérale qui récupère de 20 % à 25 % des avantages fiscaux consentis par Québec. Mais Paul Martin se fait tirer l'oreille. Une résolution de l'Association libérale du Nouveau-Brunswick invitait pourtant « le gouvernement canadien à mettre immédiatement au point une politique nationale de construction navale pour venir en aide à cette industrie ». Rien n'y fait.

En décembre 1998, le Bloc Québécois réussit à former une coalition de partis de l'opposition pour réclamer une telle politique, montrant ainsi le caractère non partisan de notre démarche. Rien n'y fait. Puis, le 15 avril 1999, Antoine Dubé, député de Lévis pour le Bloc, dépose un projet de loi contenant une série de mesures fiscales susceptibles de relancer l'industrie maritime. Il est difficile de bien saisir à quoi tient le refus du gouvernement fédéral dans ce dossier. Pour toute réponse, le ministre de l'Industrie, John Manley, affirme qu'il y a déjà une politique canadienne de l'industrie maritime et qu'elle fonctionne très bien. C'est facile à dire d'Ottawa, mais que le ministre aille donc faire un tour à Lévis...

Contre toute attente, en juin dernier, à l'occasion d'un vote libre, la plupart des députés libéraux appuyaient le projet de loi à l'étape de la deuxième lecture. Au moment d'écrire ces lignes, nous ne savons pas si le projet franchira toutes les étapes de l'adoption.

Enfin, la fiscalité peut aider à relancer l'économie d'une région. C'est le cas notamment de la région de Mirabel, pour laquelle le gouvernement du Québec a prévu, dans son budget 1999-2000, une stratégie de développement axée sur le concept de zone de commerce international de Montréal à Mirabel. Cependant, il n'y a pas de réglementation propre aux zones de commerce international au Canada, mais plutôt une série de programmes relativement complexes à gérer pour les entreprises. Il faudra donc convaincre le gouvernement fédéral de faire ses devoirs et de prévoir une réglementation simplifiée et avantageuse pour la zone de commerce international de Mirabel. Ce serait un juste retour des choses après les décisions désastreuses qu'a prises Ottawa dans le dossier de l'Aéroport de Mirabel.

Que ce soit pour stimuler les secteurs d'avenir ou soutenir des industries ou des régions en difficulté, l'outil fiscal est essentiel. C'est pourquoi l'interférence fiscale du fédéral constitue un frein important au développement économique du Québec.

La « guerre des chiffres »

> Je voudrais vous rassurer quant au fait que le Québec reçoit sa juste part de ce que vous appelez les dépenses structurantes. Par exemple, en 1996, dernière année pour laquelle les données sont disponibles, 26,3 % des dépenses fédérales au titre des sciences et de la technologie, en excluant les dépenses dans la région de la capitale nationale (RCN), ont été effectuées au Québec.
>
> Stéphane Dion,
> *La Presse*, 24 février 1999

Lorsqu'il est question de développement économique sur un territoire, il importe, en plus de connaître le terrain, de maîtriser tous les outils disponibles, y compris l'affectation des dépenses. S'en remettre aux autres, c'est encourir le risque d'être laissé pour compte et de devoir se contenter de la charité. Un exemple suffit à illustrer ce propos.

Les dépenses structurantes du gouvernement fédéral au Québec ont suscité la critique des gouvernements québécois des trente dernières années et du Bloc Québécois depuis son arrivée à Ottawa. En clair, le débat porte sur ce que le gouvernement fédéral fait pour le Québec en matière de développement économique. Les libéraux sont très prompts à souligner l'apport de la péréquation au Québec, tandis que nous le sommes tout autant à souligner notre manque à gagner en termes de dépenses structurantes. Le débat se fait essentiellement autour de ces deux concepts.

La péréquation, c'est vrai, rapporte des milliards au Québec chaque année. Le montant transféré est fonction d'un système de calcul très sophistiqué et tout à fait équitable. En termes simples, ce montant est calculé à partir de la richesse respective de chaque province canadienne, de sorte que les plus riches ne reçoivent rien et les moins riches reçoivent un certain montant.

Les dépenses structurantes du gouvernement fédéral vont à la recherche et au développement, aux transferts aux entreprises, aux investissements en capital fixe ou aux dépenses courantes en biens et services. Nous les appelons «dépenses structurantes» parce qu'elles contribuent à structurer une économie en nourrissant et en renforçant le tissu économique des régions concernées. Or, ce que nous affirmons, c'est que ces dépenses contribuent fortement à enrichir une société et que si le Québec avait reçu sa juste part depuis trente ans, nous serions aujourd'hui parmi les provinces qui ne touchent rien, comme l'Ontario. Autrement dit, nous préférerions de beaucoup que le Québec soit aussi riche que l'Ontario, plutôt que de recevoir l'aumône dont le ministre Dion est si fier.

La remarque de Stéphane Dion voulant que 26,3% des dépenses fédérales au titre des sciences et de la technologie, *en excluant les dépenses dans la région de la capitale nationale (RCN)*, ont été effectuées au Québec, constitue sa réplique à nos affirmations.

Et son argument est spécieux. Premièrement, il n'y aucune raison d'exclure du calcul la région d'Ottawa-Hull, où vont en cette matière 37% des dépenses fédérales. Voyons ces chiffres plus en détails : du montant de 1,782 milliard de dollars dépensé dans cette région, 1,555 milliard l'a été en Ontario et 227 millions seulement au Québec. Pour l'année 1996, seulement 12,7 % des dépenses fédérales dans la région d'Ottawa-Hull en sciences et technologie ont été faites du côté québécois, tout le reste étant alloué à l'Ontario. Sur chaque dollar dépensé, l'Ontario reçoit donc 87 cents et le Québec 13 cents.

Cette indiscutable réalité statistique (les chiffres proviennent de Statistique Canada) change considérablement la donne. Car une fois la région d'Ottawa-Hull prise en compte comme il se doit, on constate que ce n'est pas 26,3 % des dépenses fédérales en sciences et technologie qui sont faites au Québec, mais bien 21,3 %. Au lieu de recevoir un montant supérieur à son poids démographique, le Québec subit plutôt un manque à gagner de près de 150 millions de dollars par an, et ce, dans un secteur d'activité où chaque dollar investi se multiplie plusieurs fois.

Les données de Statistique Canada pour 1997 (les dernières disponibles au moment d'écrire ces lignes) nous apprennent ceci : des dépenses intra-muros en R et D, le Québec reçoit 13,75 % ; des transferts aux entreprises, 15,7 %, et des investissements en capital fixe, 18,6 %. Le poids démographique du Québec au Canada : 24,4 %.

Il est évident que, dans un Québec souverain, les dépenses structurantes provenant de nos impôts seraient investies chez nous, à l'exception des sommes versées aux organisations internationales auxquelles adhérerait le Québec. Et ceux qui nient l'effet structurant des États dans l'économie oublient un peu rapidement que le gouvernement fédéral a dépensé près de 120 milliards de dollars cette année.

La « guerre des chiffres », si ennuyeuse par moments, masque pourtant un débat crucial, qui touche à la racine même du différend entre souverainistes et fédéralistes. L'affirmation des fédéralistes voulant que le Québec bénéficie de la péréquation est vraie. La nôtre voulant que le Québec ne reçoit pas sa juste part des dépenses structurantes l'est tout autant. Le vrai débat consiste à poser la question suivante : s'ils avaient le choix entre les dépenses structurantes et la péréquation, que feraient les Québécois ? Entre le travail ou le chômage, entre la fierté ou la soumission ? Le Bloc Québécois a choisi les dépenses structurantes, le travail et la fierté. Et lorsque nous nous lançons dans une guerre de chiffres avec Paul Martin ou Stéphane Dion, il ne faut pas perdre de vue que derrière la cacophonie statistique se profile un débat sur une question fondamentale.

Le clientélisme et le patronage

C'est une conduite qui dénote des mœurs électorales qu'on espérait d'une autre époque.

Extrait du procès de Pierre Corbeil
devant le juge Sirois de la Cour supérieure
du Québec, le 29 avril 1998.

Il est effectivement très important que les habitants de chaque circonscription du Canada sachent, lorsqu'une subvention vient des contribuables canadiens, que c'est de là que vient l'argent, particulièrement dans les régions où certains veulent quitter le Canada parce qu'ils ne savent pas tout ce que fait notre gouvernement pour ses citoyens.

JEAN CHRÉTIEN,
Chambre des communes, 16 février 2000

Peu après la campagne électorale de juin 1997, un scandale secouait la Colline parlementaire à Ottawa. Un organisateur électoral du Parti libéral du Canada, Pierre Corbeil, était accusé de trafic d'influence. Après avoir obtenu des mains de l'adjoint du président du Conseil du Trésor une liste des demandes de subvention liées au Fonds transitoire de création d'emplois (FTCE), il a tenté de monnayer l'octroi de ces subventions contre des contributions à la caisse électorale du PLC.

Comment cet organisateur libéral était-il entré en possession d'une telle liste, un document confidentiel s'il en est? L'adjoint de Marcel Massé, président du Conseil du Trésor à l'époque, a affirmé aux enquêteurs — sans rire, semble-t-il — qu'il avait demandé à Pierre Corbeil de vérifier si les entreprises en question avaient pignon sur rue et si elles avaient bonne réputation.

Deux ans plus tard, après les révélations scandaleuses sur ce fameux FTCE, nous ne pouvons qu'être touchés d'apprendre que le président du Conseil du Trésor prenait tant de soin à s'assurer que les subventions du gouvernement fédéral tombaient entre de bonnes mains. En fait, il s'agissait bel et bien de patronage organisé à grande échelle par le Parti libéral du Canada, comme les événements n'allaient pas tarder à nous l'apprendre.

En juin 1999, au cours de la toute dernière semaine de session parlementaire, nous avons bien posé quelques questions au premier ministre Chrétien au sujet d'un conflit d'intérêts apparent dans son comté, mais ce dernier s'est réfugié derrière les propos de son conseiller à l'éthique. Nous avions bien d'autres chats à fouetter alors, comme en témoignent les centaines de questions posées par le Bloc au sujet du Kosovo.

La session d'automne devait amener un nouveau défi: la loi anti-Québec de Stéphane Dion, C-20. Ce n'est qu'au retour du congé des fêtes, en janvier 2000, que nous avons sérieusement pris en main le dossier du Fonds transitoire de création d'emploi et de Développement des ressources humaines Canada.

Après une analyse minutieuse des dates d'attribution des subventions, Paul Crête a acquis la conviction que le FTCE avait servi à mousser la campagne électorale des libéraux au Québec. En effet, la moitié des fonds de ce programme, étalé sur trois ans, avait été attribuée au cours des huit mois couvrant la période électorale et pré-électorale, soit de janvier à août 1997. C'est pendant cette même période que Pierre Corbeil a exercé ses talents « d'organisateur libéral ». Alerté par notre député, un journaliste de TVA a profité d'un point de presse du premier ministre pour lui demander: « M. le premier ministre, avez-vous utilisé le Fonds transitoire de création d'emplois à des fins électorales ? »

Ce moment est déterminant car jusque-là, les questions avaient porté sur des cas isolés de patronage, de conflits d'intérêts ou sur le scandale de la mauvaise gestion à DRHC. La véritable question était maintenant posée: le gouvernement libéral de Jean Chrétien avait-il utilisé les fonds publics à des fins électorales, faussant ainsi le jeu démocratique? Nous savions bien que la réponse était « oui ». Nous l'avons démontré et le premier ministre l'a avoué, affirmant que c'était normal.

Pourtant, au Bloc Québécois, nous pensons qu'accorder des subventions à des fins électorales, cela ne correspond pas à l'objectif du FTCE, qui est de créer des emplois. C'est pourquoi nous avons demandé au premier ministre de nous expliquer pourquoi une entreprise de son comté, Placeteco, avait reçu 1,2 million du FTCE sans avoir créé un seul emploi. La ministre Stewart nous a répondu que c'était pour maintenir des emplois.

Soit! Nous avons demandé à la ministre si elle pouvait nous démontrer que cette subvention avait bel et bien servi à créer ou à maintenir des emplois. Elle nous a répondu qu'elle avait des factures le prouvant. Factures que nous avons attendues pendant plus de cinq mois et qui nous sont parvenues en plein été, nous montrant qu'une autre entreprise que Placeteco avait effectivement créé des emplois!

Nous avons dévoilé une entente entre Placeteco et une banque démontrant que la subvention avait en fait servi à éponger une dette. La ministre a nié. Interviewé par une journaliste de Radio-Canada, le patron de Placeteco a admis que la subvention avait servi à payer cette dette. La ministre a continué à nier. Qui peut croire un instant que Placeteco n'a pas obtenu de traitement de faveur du gouvernement libéral lorsque l'on sait que cette entreprise a versé plusieurs dizaines de milliers de dollars à la caisse électorale du PLC et que son propriétaire est un proche du premier ministre?

En fait, le comté du premier ministre a reçu du FTCE 1358 $ par chômeur, contre seulement 123 $ pour la Gaspésie. Ce ne serait pas tragique si Saint-Maurice en avait profité par la création d'emplois, mais plusieurs subventions n'ont en fait créé aucun emploi.

Rappelons le cas de 3393062 Canada Inc, une entreprise de Rosemont qui a reçu une subvention du FTCE. Mon collègue Bernard Bigras s'est aperçu que non seulement il n'y avait pas eu création d'emplois dans son comté, mais qu'en plus les entrepreneurs avaient déménagé dans le comté du premier ministre. L'argent s'était volatilisé, semble-t-il. Le déclenchement d'une enquête criminelle nous a empêché d'obtenir plus de détails. Tout ce qui nous restait, c'était le nom de l'intermédiaire qui avait obtenu la subvention pour 3393062 Canada Inc : Golf & Grants, soit, en français, Golf et Subventions…

Golf & Grants a servi d'intermédiaire pour Modes Conili, entreprise située dans le comté d'une député libérale et ayant contribué généreusement à la caisse électorale du parti. Là encore, aucun emploi n'a été créé et une enquête criminelle a été ouverte.

Faut-il mentionner le cas de CITEC, toujours dans le comté du premier ministre, où deux administrateurs soupçonnés de détournement de fonds ont continué de gérer les millions du gouvernement fédéral ?

Mais s'il n'y avait eu que les cas reliés au FTCE. Au printemps 1999, nous avions tous les éléments démontrant que l'octroi d'un contrat pour la construction de l'ambassade du Canada en Allemagne avait favorisé des partisans libéraux ayant contribué à la caisse du parti. Pourtant, un cabinet d'architectes de Montréal avait obtenu six des huit votes du jury international chargé par le ministre de faire la sélection, en toute impartialité.

Toujours au printemps 1999, nous avons découvert que des sociétés d'État fédérales contribuaient à la caisse électorale du PLC. Autrement dit, les fonds publics allaient directement gonfler les caisses du Parti libéral du Canada !

Nous avons démontré, au printemps 2000, que le Bureau d'information du Canada distribuait des contrats, sans appel d'offres, à des entreprises dont les propriétaires avaient tous contribué à la caisse du Parti libéral ou encore étaient des anciens députés ou des organisateurs libéraux.

Et encore, tout cela ne peut être que la pointe de l'iceberg. Le Bloc Québécois n'a pas les moyens d'enquête lui permettant de faire toute la lumière sur les cas d'abus, de fraudes et de patronage qui surgissent sans cesse. C'est pourquoi, forgeant une coalition dont nous avons maintenant le secret avec les autres partis d'opposition, nous avons exigé une commission d'enquête indépendante. Les faits sont là, nombreux, incriminants. D'une part, le gouvernement libéral a utilisé les fonds publics à des fins électorales et, d'autre part, il s'en en servi à des fins de patronage auprès de ses partisans.

Au cours de ce printemps politique tumultueux, le gouvernement fédéral aura menti, camouflé puis falsifié des documents et fait obstruction au travail de la Chambre. Mais il n'a pu empêcher que des enquêtes criminelles soient entreprises et des accusations, portées. Le processus démocratique a été faussé par des mœurs électorales qu'on espérait d'une autre époque, pour reprendre les mots du juge Sirois. Et on aurait tort de ne pas voir de liens avec les accrocs démocratiques que constituent le renvoi en Cour suprême, la Loi sur la clarté et la tentative d'acheter des votes.

Ces dérapages obéissent à une même logique : incapables de gagner sur le terrain démocratique, les fédéralistes d'Ottawa n'hésiteront pas à utiliser l'argent public, les tribunaux ou le Parlement pour contourner les règles. Tout ce qui manque à leur arsenal, c'est la propagande.

IV

La démocratie

Le renvoi en Cour suprême

Au moment où les juges de la Cour suprême délibéraient de l'avenir du Québec, un bon millier de Québécois étaient réunis, en compagnie des députés du Bloc, sur les marches du plus haut tribunal du pays pour affirmer que c'est aux Québécois de décider et pas aux juges nommés par Ottawa.

Le renvoi en Cour suprême était également un aveu de défaite des fédéralistes d'Ottawa ; avant la médecine anti-démocratique qu'allait nous servir Stéphane Dion, le gouvernement fédéral s'était résolu à tenter sa chance au niveau juridique. Il fallait que la Cour déclare d'avance la démarche souverainiste anticonstitutionnelle. Stéphane Dion et Allan Rock espéraient en effet pouvoir utiliser l'avis de la Cour pour dire aux Québécois que la souveraineté était illégale. Ils voulaient affirmer qu'ils avaient la loi de leur côté et que nous, les souverainistes, étions en quelque sorte des hors-la-loi.

Ce que nous disions, nous, c'est que cette question est d'ordre politique et non d'ordre juridique. L'avenir du Québec repose entre les mains des Québécois, souverainistes ou fédéralistes. En ce sens, poser la question de l'avenir du Québec à la Cour suprême du Canada plutôt que de s'en tenir au processus démocratique nous semblait incongru et injuste. D'autant plus que la participation très élevée des Québécois — de toutes allégeances — aux deux référendums de 1980 et 1995 montrait clairement que la très grande majorité d'entre eux estimaient la démarche souverainiste légitime.

Or, l'Avis de la Cour, finalement, disait essentiellement trois choses : (a) l'éventualité de la séparation du Québec du Canada n'est pas prévue dans la Constitution et en ce sens les questions posées par le gouvernement ne s'appliquent pas ; (b) la démarche souverainiste n'est donc ni légale, ni illégale, mais légitime ; (c) le gouvernement fédéral, devant un rejet clair du statut constitutionnel canadien par les Québécois, a l'obligation constitutionnelle de négocier avec le Québec.

La Cour suprême renvoyait Stéphane Dion et Jean Chrétien au terrain démocratique. Mais puisque sur ce terrain, ils perdent constamment, ils n'ont rien trouvé de mieux qu'une loi mesquine pour tenter de changer les règles du jeu. Ils ont oublié une chose : ce jeu, c'est la démocratie, et la règle fondamentale de la démocratie est de permettre aux peuples de décider eux-mêmes. Tôt ou tard, ce gouvernement devra bien affronter la réalité démocratique.

La loi sur la clarté

L'Avis de la Cour suprême donnait une seule prise au tandem Dion/Chrétien : la clarté, d'où le dépôt de leur projet de loi sur cette question en décembre 1999. Après le balayage du Bloc Québécois aux élections de 1993, après le résultat serré du référendum de 1995, après la nouvelle majorité du Bloc en 1997, après l'avis de la Cour suprême confirmant la légitimité du mouvement souverainiste et l'obligation constitutionnelle pour le Canada de négocier, après la victoire du Parti québécois aux élections de 1998, le gouvernement fédéral, poussé dans ses derniers retranchements, aura franchi la frontière qui sépare les démocrates des autocrates.

Lors du discours que j'ai prononcé à la Chambre, après le dépôt de C-20, j'ai fait référence à l'histoire. J'ai parlé, entre autres, de l'époque où nos Patriotes luttaient avec les Patriotes du Haut-Canada, démocrates d'alors, contre le «family compact» ou «la clique du château». Ils posaient ainsi les premiers jalons d'une nécessaire collaboration entre voisins démocrates, établissant des relations d'égal à égal. C'était bien longtemps avant que les souverainistes n'en parlent.

Or, comme lors de la rébellion des Patriotes, l'establishment politique canadien a refusé de mettre le principe démocratique en avant de toute autre considération politique. Si les fédéralistes d'Ottawa avaient la conviction qu'ils pouvaient défaire les souverainistes sur le terrain démocratique, ils n'en seraient pas venus à cette dernière extrémité que constitue la Loi sur la clarté.

De clarté, C-20 n'a que le nom. Car avant l'adoption de cette loi, les choses étaient claires. L'Assemblée nationale décidait de la question référendaire et le peuple québécois décidait de son avenir au moyen du principe démocratique de la majorité absolue. Aujourd'hui, nous ne savons plus quelle est la majorité

requise. Ça dépend, nous dit Stéphane Dion. Ça
dépend de quoi? Nous verrons après...

La propagande canadienne

En 1995-1996, le gouvernement fédéral a dépensé
plus de 40 millions de dollars pour ses diverses
activités de propagande pro-canadienne. À l'occasion
du 30e anniversaire du drapeau canadien, le gouvernement libéral a fait installer 600 panneaux publicitaires au Canada, dont 300 au Québec; 50% des panneaux pour 24% de la population! Patrimoine Canada
a versé 6 millions de dollars au Conseil pour l'unité
canadienne, 4,8 millions à Option Canada, 11 millions
pour l'Opération unité et 5 millions pour une campagne de promotion sur le gouvernement du Canada.
Il s'agissait bien sûr de mettre tout le poids du gouvernement fédéral dans la balance afin de gagner la
campagne référendaire. Était-ce légitime? C'est pour
le moins douteux.

Mais les fédéralistes ont quand même frôlé la
défaite et plutôt que de réagir en tentant de répondre
aux aspirations du Québec, ils ont essayé de freiner le
processus démocratique. Mais surtout, ils ont essayé
de vendre le Canada aux Québécois comme on vend
une boîte de lessive. Par la publicité. Cette campagne
de propagande aurait pu s'intituler: « Le Canada lave
plus blanc. »

En 1996-1997, ils ont intensifié leur propagande,
comme si la campagne référendaire se poursuivait. Ils
ont créé le Bureau d'information du Canada et lui ont
accordé 20 millions de dollars. Patrimoine Canada a
déboursé 15 millions pour la campagne « un million de

drapeaux[1] ». Le ministère a également lancé la campagne «Haut en couleur», une trousse diffusée dans les écoles et portant sur les symboles canadiens. En tout, c'est au moins 45 millions de dollars qui ont servi à la propagande.

En 1998-1999, le gouvernement fédéral a mis en place le programme «Initiatives de commandites», dont l'objectif consiste à «augmenter la visibilité du gouvernement du Canada». Surtout au Québec, semble-t-il, puisque 71% des 56 millions y sont dépensés. La Fête du Canada prend également une nouvelle ampleur avec un budget qui est haussé à 4,7 millions de dollars, dont 3 millions au Québec et 550 000 $ en Ontario! Les Ontariens seraient-ils moins empressés de fêter le Canada que les Québécois?

En 1999-2000, nouvelle accélération. Quinze millions sont dépensés pour le Forum des fédérations, l'Institut sur le fédéralisme et diverses recherches sur la même question. Treize millions vont à la mise sur pied du réseau 1800 Ô Canada, puis 12 millions à Attraction Canada, dont 60% au Québec. Le budget de la Fête du Canada passe à 5,4 millions, dont 65% pour le Québec. Le BIC est doté d'un budget de 21,2 millions dont 1,2 million pour le bébé de Robert-Guy Scully, *Le Canada du millénaire*; 6 millions sont alloués au Conseil pour l'unité canadienne et 49 millions aux commandites, dont 71% pour le Québec. Juste pour vendre son budget, Paul Martin dépense 3,6 millions de dollars en publicité, dont un million au Québec.

En 2000-2001, le budget du BIC augmente encore et atteint 31 millions de dollars, entre autres pour

---

1. Sheila Copps aura d'ailleurs écoulé seulement 10% de ses drapeaux au Québec, où la demande était moins forte qu'ailleurs...

organiser des tournées partisanes du PLC au Québec. Le budget de la Fête du Canada explose littéralement et se chiffre à 5 millions de dollars au Québec seulement. Le BIC fiche les journalistes et publie un bulletin où les libéraux sont encensés et les bloquistes et péquistes, cloués au pilori. Le ministre Gagliano, organisateur en chef des libéraux au Québec, accorde de nombreux contrats de communication sans appel d'offres à ses amis libéraux.

L'attachement d'un peuple envers un pays peut-il s'acheter? En 1995, malgré les dépenses massives du gouvernement fédéral, les Québécois ont voté à 49,4% pour le «oui». Ce vote dénote, me semble-t-il, un profond mécontentement des Québécois envers le Canada tel qu'il est. Le débat démocratique se déroule sur ce terrain. Le gouvernement fédéral l'a délaissé pour se réfugier dans la propagande. Quel bel aveu de défaite, en vérité.

Le monde

Ces initiatives diplomatiques, qui seront renforcées en 1999, ont été financées par la Stratégie sur les dimensions internationales du débat sur l'unité canadienne, que vous avez approuvée plus tôt cette année.

LLOYD AXWORTHY,
ministre canadien des Affaires étrangères[1]

La politique étrangère du Canada consiste à combattre le Québec.

JOSEPH BIDEN,
du Comité du Sénat américain
sur les Affaires étrangères

L'ennemi intérieur

À UNE ÉPOQUE caractérisée par l'intensification des échanges internationaux, que ce soit dans le domaine commercial, culturel, scientifique ou même sportif, l'appareil diplomatique d'un État joue un rôle

---

1. Extrait d'une lettre adressée à Jean Chrétien, qui lui demandait ce qu'il faisait pour l'unité canadienne.

crucial. Lorsqu'il est question de culture, d'éducation ou de commerce sur la scène internationale, un peuple se doit d'être présent. Pour défendre ses intérêts, mais également pour promouvoir ses valeurs et ses particularités. À cet égard, le Québec est mal représenté par l'appareil diplomatique canadien. Pire encore, il est combattu par ceux qui ont la charge de le représenter.

À l'instar de nos scientifiques, de nos sportifs et de nos entrepreneurs, les artistes québécois ont désormais le monde pour horizon. Carbone 14, Louise Lecavalier et La La La Human Steps, Michel Tremblay, Céline Dion, le Cirque du Soleil ou la regrettée Anne Hébert, nos artistes brillent sur la scène internationale. S'ils réussissent à s'imposer à Paris, New York ou Tokyo, c'est par leurs efforts, leur persévérance et leur vision. C'est par le mérite qu'ils accèdent aux scènes internationales.

Tous les États font la promotion de leur culture avec l'aide de leur appareil diplomatique. Mais la différence entre un État comme la France ou l'Italie et l'ancienne URSS, c'est que les premiers aident les artistes à s'imposer sur la scène internationale sur la base du mérite artistique, tandis que l'URSS le faisait sur des bases politiques. Le Canada a essayé d'imiter l'URSS en imposant le critère de l'unité canadienne. Une coalition d'artistes, appuyée par le Bloc Québécois à Ottawa, a réussi à faire échec à cette politique absurde.

Le ministère des Affaires étrangères allait dorénavant accorder des subventions aux artistes capables de promouvoir le respect de la souveraineté canadienne et de l'unité nationale. Cette position était bien sûr intenable pour le ministère, d'autant plus que de nombreux diplomates canadiens sont sincèrement sensibles à la culture, qu'elle soit québécoise ou canadienne. Mais il reste que ce ministère est soumis aux impératifs politiques dictés par le gouvernement fédéral. Et un de ces objectifs consiste à combattre le Québec. Il est donc difficile pour le ministère des Affaires étrangères de combattre le Québec et, en même temps, de le représenter sur la scène internationale.

Officiellement, le gouvernement fédéral reconnaît l'existence de la culture québécoise depuis le printemps 1999, mais comme composante régionale de la culture canadienne. La culture québécoise ne ferait donc qu'ajouter une petite touche régionale, provinciale et peut-être folklorique à la grande culture canadienne. Et c'est comme ça que le Québec est présenté à l'étranger, comme une composante régionale.

Dans les domaines économiques et commerciaux, les représentants du gouvernement du Québec se voient refuser par Ottawa le droit de rencontrer des chefs d'États étrangers. Pourquoi le premier ministre élu du Québec ne pourrait-il pas rencontrer le Président du Mexique ? La réponse est très simple : le gouvernement fédéral craint comme la peste que les Québécois s'habituent à voir leurs représentants discuter avec des chefs d'État étrangers.

C'est ainsi qu'en mai 1999, alors que le gouvernement fédéral refusait d'autoriser une rencontre entre Lucien Bouchard et le Président du Mexique, le premier ministre du Canada, Jean Chrétien, répondait à une question du Bloc : pourquoi aller emmerder les étrangers et ne pas garder nos problèmes ici.

«Emmerder» les étrangers ? M. Chrétien devrait pourtant savoir que régulièrement, le Bloc Québécois invite les diplomates en poste à Ottawa à des rencontres où nous expliquons le point de vue du Québec sur différents sujets. Ces rencontres sont très appréciées. Commentant les propos de Jean Chrétien selon lesquels le Président du Mexique n'a pas l'habitude de rencontrer des dirigeants provinciaux, le journal mexicain *El Universal* soulignait qu'il était complètement dans l'erreur.

On comprend mieux aussi pourquoi Sheila Copps a piqué une crise lorsque Agnès Maltais, ministre québécoise de la Culture et des Communications, a été invitée à un forum international à Paris par son homologue française. Jean Chrétien est allé jusqu'à écrire au gouvernement français pour signifier son mécontentement. On peut se demander qui emmerde qui ici.

Le Bloc Québécois joue donc un double rôle à Ottawa en matière d'affaires extérieures : outre le rôle classique de critique du gouvernement, il apporte le point de vue du Québec et des souverainistes aux diplomates étrangers en poste à Ottawa. Ces derniers ont la possibilité d'entendre un point de vue différent de celui du gouvernement fédéral et, par nos questions en Chambre, les intentions de ce même gouvernement sont révélées aux Québécois.

Un des principaux éléments de la politique étrangère du Canada consiste à tenter de limiter la place du Québec dans le monde.

Les députés ambassadeurs

> Même si je comprends les raisons motivant notre politique de «pairage» avec les députés d'opposition, vous souhaiteriez peut-être considérer si ce n'est pas contre-productif dans le contexte de visites de haut niveau à l'étranger.
>
> LLOYD AXWORTHY[2]

Les députés du Bloc Québécois voyagent un peu partout dans le monde dans le cadre des comités d'amitié entre le Canada et d'autres pays, lors de rencontres d'organisations internationales comme l'OIT ou lors de missions à l'étranger de ministres canadiens. Ces visites permettent à nos députés de mieux faire connaître le Québec, sur le plan économique, culturel, démographique et politique.

Nous avons d'ailleurs préparé un document intitulé — «En marche vers un pays» — que nos députés peuvent remettre à leurs interlocuteurs. Loin d'être «emmerdés», ceux-ci sont la plupart du temps fascinés par notre démarche et nous quittent en réalisant le peu de choses qu'ils savaient du Québec.

Ce n'est pas par charité que les ministres du gouvernement fédéral invitent les députés du Bloc à les accompagner à l'étranger. C'est que le Parti libéral du Canada n'a réuni une majorité de sièges qu'en Ontario lors des dernières élections. Dans toutes les autres provinces, les libéraux sont minoritaires. Et à la Chambre des communes, le gouvernement fédéral a toujours eu moins de dix sièges de majorité. Les ministres

---

2. Extrait de la même lettre adressée à Jean Chrétien, qui lui demandait ce qu'il faisait pour l'unité canadienne.

demandent donc à des députés de les accompagner afin de préserver la majorité des libéraux en Chambre. Le «pairage», c'est cela. Et la demande du ministre Axworthy de mettre fin à ce système doit être lue dans ce contexte. En remettant en question la pertinence d'envoyer des représentants du Bloc à l'étranger, il rend hommage à la qualité de notre travail d'ambassadeurs du Québec.

Lorsque nous rencontrons des diplomates ou des dirigeants étrangers à Ottawa, nous tentons de discuter de problèmes plus spécifiques au Québec, allant parfois jusqu'à organiser une visite sur le terrain. En janvier 1998, par exemple, nous avons amené avec nous une trentaine de diplomates dans la région de l'amiante afin de les sensibiliser aux utilisations sans risque pour la santé de ce matériau.

Bien sûr, il s'agit seulement de l'un des nombreux rôles que doit jouer le Bloc Québécois. Le gouvernement du Québec et son ministère des Relations internationales du Québec accomplissent beaucoup de choses de leur côté, avec plus de moyens que nous. Mais cela reste loin d'un véritable appareil diplomatique d'État. Nous ne pouvons qu'imaginer ce que pourrait accomplir un tel appareil au service d'un Québec souverain.

La mondialisation

> Car un des faits dominants de notre époque con-
> siste en un recul de l'importance des nations et des
> États qu'elles ont créés, c'est-à-dire en un recul de
> l'importance des relations entre nations, des rela-
> tions internationales.
>
> PIERRE PETTIGREW

Lorsqu'un fermier québécois récolte des œufs dans son poulailler, lorsqu'un enfant québécois se propulse, d'un simple clic, dans l'univers d'Internet, lorsqu'un réfugié kosovar met les pieds pour la première fois sur les pavés centenaires de la ville de Québec ou qu'un retraité se penche sur les relevés de son fonds de pension, chacun accomplit un geste réglementé par l'une ou l'autre des organisations internationales qui peuplent désormais notre planète.

Le fermier est soumis aux règles négociées dans le cadre de l'ALENA et de l'OMC ainsi qu'à diverses autres ententes. L'enfant qui navigue sur Internet accède à des sites francophones qui, bien souvent, ont bénéficié du soutien de l'État. Le sort des réfugiés est encadré par des traités, des agences onusiennes et des accords entre États nationaux. Les marchés financiers mondiaux, enfin, sont régis (peut-être pas assez) par des organisations internationales, des traités entre États nationaux ou des ententes bilatérales qui protègent ou non le fonds de pension de notre retraité, qui aura diversifié son portefeuille hors-frontière. Toutes ces ententes, bilatérales ou multilatérales, ont engendré des normes que subissent ou dont bénéficient tous nos concitoyens. Or, ces ententes ont un point en commun : elles ont été négociées, signées et ratifiées par des États nationaux.

Et chacun de ces États, lorsqu'il négocie au nom de ses citoyens, le fait avec sa culture propre. Ainsi, la position de négociation d'un État où la culture politique est plutôt à droite et la culture tout court moins importante que le commerce reflétera nécessairement ces tendances nationales. À l'inverse, un État qui a une culture politique plus sensible à la redistribution des richesses et qui donne une grande importance à la culture mettra de l'avant ces valeurs nationales. La mondialisation est aussi et surtout internationale et en faire abstraction, comme M. Pettigrew, c'est donner raison aux promoteurs de l'AMI, mais également renoncer à la solidarité sociale.

Une autre des thèses du ministre veut que le Canada soit davantage un pays politique qu'économique, ce qui lui conférerait des aptitudes enviées pour faire face à la mondialisation. Comment explique-t-il alors que ce pays bâti à coups de volonté politique ait échoué si souvent depuis trente ans à seulement reconnaître le Québec comme société distincte? Le Canada a réussi à bâtir un chemin de fer d'un océan à l'autre et une autoroute transcanadienne, mais reste incapable de reconnaître la culture québécoise et ses particularités. Et cela devrait rassurer les Québécois? Eux qui voient leurs outils politiques leur glisser des mains à cause de la mondialisation et de l'entêtement du gouvernement fédéral à leur nier une indispensable présence internationale?

Les citoyens, selon M. Pettigrew, appelleraient de leurs vœux un nouveau paradigme d'où la langue et la culture seraient évacuées. La nouvelle «politique de la confiance» permettrait au gouvernement fédéral de négocier et de signer des ententes internationales (l'AMI, par exemple) à partir de valeurs qui n'ont jamais été définies.

Les relations entre États prennent de plus en plus d'importance dans la vie de tous les jours de nos concitoyens. Et le Québec est absent. Ceux qui nous représentent affirment que ce n'est guère important à notre époque. Avec pareils représentants, ces fermiers, ces enfants ou ces retraités qui s'inquiètent et espèrent beaucoup de la mondialisation — comme nous tous — auront sans doute un choix à faire. Voudront-ils laisser faire la mondialisation de M. Pettigrew ou la faire en ayant une emprise sur le phénomène?

La monnaie continentale

> Est-ce que le modèle européen ne nous indique pas que toute zone de libre-échange agrandie à plusieurs pays, comme ce serait le cas avec les trois Amériques, pose la question de la monnaie commune?
>
> GILLES DUCEPPE,
> 9 décembre 1998

> Si nous adoptions la proposition du Bloc, nous deviendrions vite épuisés à faire du surplace dans une mer déchaînée, après avoir jeté notre bouée de sauvetage, la politique monétaire souveraine, indépendante et authentiquement canadienne de notre pays. Jamais notre gouvernement, au nom de la vaste majorité des Canadiens, n'acceptera l'option qui nous est proposée.
>
> TONY VALERI, secrétaire parlementaire
> du ministre des Finances, 15 mars 1999

La motion du Bloc Québécois que se proposait alors de défaire M. Valeri visait simplement à mettre sur pied un comité parlementaire pour étudier le pour et le contre d'une éventuelle monnaie commune aux Amériques. Il ne s'agissait pas de se prononcer pour ou contre cette éventualité, mais bien d'amorcer un débat. Les libéraux ont refusé au nom de la souveraineté canadienne, car nous avons touché à un tabou : le dollar canadien.

Nous savons qu'une monnaie nationale représente souvent plus, pour certains pays, qu'un simple instrument économique. Que ce soit le mark allemand ou la livre anglaise, la monnaie peut être très liée à l'idée que se font certains pays de leur souveraineté. Le Canada n'y échappe pas et la peur de la domination économique américaine explique bien des choses à cet égard.

Le débat sur l'entente de libre-échange entre le Canada et les États-Unis à la fin des années quatre-vingt avait soulevé les mêmes arguments, les mêmes peurs de la part des libéraux. Ils s'étaient opposés farouchement au libre-échange par crainte, disaient-ils à l'époque, de la dilution de la souveraineté canadienne.

Ce n'est pas un hasard si les souverainistes québécois sont constamment à l'avant-garde du processus de continentalisation à l'œuvre dans les Amériques. Depuis 1992, les exportations du Québec vers les autres provinces canadiennes ont progressé d'environ 10 milliards de dollars, tandis que nos exportations vers les autres pays — 83 % vers les États-Unis — ont grimpé de plus de 80 milliards entre 1992 et 1998. L'économie du Québec file plein Sud plutôt que selon l'axe traditionnel Est-Ouest.

En 1998, le Québec a subi un déficit commercial avec le Canada, c'est-à-dire que nos importations surpassaient nos exportations. Avec le reste du monde, c'est l'inverse : nos exportations dépassent largement nos importations. Le Québec est donc très largement gagnant dans ses rapports commerciaux avec l'étranger.

Le dollar canadien y est pour beaucoup, affirment certains analystes. La faiblesse du dollar favoriserait en effet le Québec et le Canada en rendant nos produits plus concurrentiels. Mais cet avantage est artificiel, car un dollar faible nous confine dans un cercle vicieux de sous-productivité. Rappelons-nous les fédéralistes qui, dans les années soixante-dix, se moquaient de « la piastre à Lévesque » qui ne vaudrait que 75 cents si le Québec devenait souverain. Aujourd'hui, le dollar canadien navigue autour de 69-70 cents...

Faire reposer une économie sur la faiblesse d'une devise, c'est une erreur qui peut s'avérer très coûteuse à long terme. Et c'est dans une perspective à long terme que nous avons assis notre réflexion sur une éventuelle monnaie continentale. Les discussions qui vont bientôt s'enclencher autour de la Zone de libre-échange des Amériques (ZLEA) devront aborder la question de la monnaie continentale. Le Bloc Québécois est prêt. Le gouvernement fédéral, lui, refuse d'en débattre pour l'instant. Devons-nous rester prisonniers de ce réflexe frileux de repli sur soi ?

Négocier avec le Canada comme province ou en tant que pays souverain ?

Que ce soit à propos des congés parentaux, des jeunes contrevenants, des bourses du millénaire ou des transferts sociaux, le Québec a fait des choix qu'il nous faut constamment défendre au sein du Canada. Quand il faut se tirailler avec le gouvernement fédéral pour qu'il investisse nos impôts à bon escient dans la santé, l'éducation et la lutte contre la pauvreté, nous le faisons. Lorsque vient le temps de défendre la marge de manœuvre du gouvernement du Québec à Ottawa et qu'il faut lutter seuls, nous sommes là. Lorsque le gouvernement fédéral combat le Québec à l'étranger et que nous pouvons intervenir, nous le faisons. Défendre les intérêts du Québec à Ottawa, c'est un rôle que nous devrons jouer tant que le Québec fera partie du Canada.

Ce qui nous amène à notre deuxième rôle : la promotion de la souveraineté. Et il n'est rien de plus intéressant que la lorgnette internationale lorsque nous songeons à la souveraineté. Le Bloc Québécois, du fait de sa présence à Ottawa, est quotidiennement interpellé par les grands dossiers mondiaux et les grandes négociations internationales. Nous assistons au spectacle quotidien de nations qui négocient, d'égal à égal, des traités, des ententes, qui s'affrontent ou s'allient.

Pendant que le Québec essaie de faire entendre raison à Jean Chrétien au sujet des congés parentaux, que nous négocions avec le Manitoba ou Terre-Neuve afin de créer un front commun contre le gouvernement fédéral, l'Islande négocie avec la Grande-Bretagne, la France, les États-Unis ou le Canada. En définitive, c'est à ce choix que nous sommes confrontés. Désirons-nous négocier avec la France, les États-Unis et le Mexique ou avec Terre-Neuve, l'Alberta et Ottawa ? Préférons-nous négocier avec le Canada en tant que province soumise aux décisions d'Ottawa ou préférons-nous négocier avec le Canada en tant qu'État souverain ?

Deux pays se construisent : le Canada et le Québec. Toute la question est de savoir sur quelle patinoire le Québec doit jouer son avenir. Le Bloc Québécois pense que ce devrait être le monde.

La lutte au crime organisé

Le crime organisé pose un problème fondamental aux parlementaires canadiens, car ce phénomène ébranle le système judiciaire et, par là, la démocratie. Selon plusieurs spécialistes, le Canada est devenu une terre de prédilection pour les différents groupes criminels, notamment au niveau du blanchiment d'argent. Mais le premier problème auquel nous devons faire face est celui de l'utilisation de la Charte canadienne des droits et libertés par les gangs criminalisés, qui l'invoquent afin de se soustraire à la justice.

En 1995, la Chambre des communes adoptait une loi anti-gang. Or, depuis 1995, le nombre de gangs de motards est passé de 28 à 35. Nous savons qu'ils s'affichent ouvertement, qu'ils se réclament de leur appartenance à des groupes criminels comme les Hells Angels et pourtant, les forces de l'ordre ne peuvent mettre fin à leurs activités pour ce motif.

Bien sûr, la loi anti-gang a permis quelques avancées dans la lutte contre le crime organisé. Au Bloc Québécois, Richard Marceau a proposé de retirer les billets de 1 000 $ de la circulation pour combattre le blanchiment d'argent. Yvan Loubier s'est élevé contre les planteurs de cannabis qui terrorisent les agriculteurs. Ces actions sont courageuses et nécessaires, mais elles demeurent insuffisantes.

Michel Bellehumeur, porte-parole du Bloc en matière de justice, a présenté une motion en novembre

1999 qui visait à étudier en profondeur l'efficacité des outils de lutte contre le crime organisé. L'ensemble des députés de la Chambre a appuyé cette motion et un sous-comité a été nommé pour faire le tour de la question.

L'unanimité de la Chambre est importante, car il faudra éviter toute partisanerie dans ce débat qui ne manquera pas de soulever des questions délicates. Parmi celles-ci, on doit débattre de l'utilisation de la clause dérogatoire pour lever les dispositions de la Charte concernant le droit de libre-association et d'autres droits prévus pour protéger le citoyen de l'arbitraire. Soulever cette question, cela veut dire s'exposer à des accusations de violation des droits fondamentaux. Ainsi, en désirant combattre le crime organisé, nous pourrions être accusés de violer ces droits, ce qui serait pour le moins ironique.

En fait, nous devons trouver un juste équilibre entre la protection de ces droits et l'efficacité de la justice dans la lutte contre le crime organisé. C'est le rôle du législateur, c'est-à-dire des parlementaires, de viser cet équilibre et de promulguer une législation qui protège les citoyens à la fois contre l'arbitraire et la violence des groupes criminels.

Annexes

Déclaration de loyauté

JE L'AI SOUVENT DIT : je suis souverainiste avant, pendant et après les élections. Et voilà que la cérémonie d'aujourd'hui m'oblige agréablement à réaffirmer cet engagement.

À titre de député fédéral de Laurier-Sainte-Marie, je serai loyal au peuple québécois dans cette fonction nécessairement transitoire avec le Bloc Québécois puisque toutes nos actions conduiront à la souveraineté du Québec.

Mon allégeance nationale est québécoise. Mon territoire d'appartenance est le Québec, foyer d'un peuple de culture et de langue française dont j'entends promouvoir la souveraineté.

À titre de député fédéral de Laurier-Sainte-Marie, j'entends avec mes collègues du Bloc québécois :

- M'associer sans entrave à la démarche amorcée pour définir et construire, dans la concertation, un Québec nanti de la plénitude de ses attributions ;

- D'être, à Ottawa et au Canada anglais, un porte-parole de cette démarche ;

- D'assurer le libre exercice, par le peuple québécois, de son droit à l'autodétermination en faisant en sorte que ce droit soit bien compris dans l'ensemble

du Canada et respecté par les institutions fédérales ;

* De favoriser l'émergence d'un rapport de forces au
  bénéfice du Québec, pour l'appuyer dans la mise
  en œuvre d'un nouvel arrangement politique avec
  le Canada ;
* De consolider autour des seuls intérêts du Québec
  la force et l'autorité politique du peuple québécois
  à Ottawa.

Reconnaissant que l'avenir du Québec est intimement lié à sa prospérité et sa stabilité économiques, à
titre de député, j'exigerai du gouvernement fédéral la
pleine part du Québec en tant que partenaire fondateur et contributeur majeur de la fédération canadienne.

Dans tous les cas, je respecterai et appliquerai
intégralement les principes fondamentaux de démocratie, d'équité et de responsabilité sociale. Je lutterai
contre la discrimination sous toutes ses formes, tout en
affirmant un préjugé favorable envers les personnes
les plus démunies de notre société.

Et ce, parce que j'espère un Québec ouvert, comme
le chante Michel Rivard, sans violence, sans racisme,
sans sexisme... un Québec tolérant et fier !

Voilà les principes qui guident cette déclaration
solennelle que je fais aux Québécoises et aux Québécois.

« Je déclare solennellement que je serai loyal envers
le peuple du Québec et que j'exercerai mes fonctions
de député avec honnêteté et justice dans le respect des
institutions démocratiques. »

GILLES DUCEPPE,
le 23 septembre 1990

Déclaration de principes

Un parti souverainiste sur la scène fédérale

LE BLOC QUÉBÉCOIS est un parti politique souve-rainiste, implanté exclusivement au Québec. Il sera présent sur la scène fédérale jusqu'à la réalisation de la souveraineté du Québec. Il rétablit la concor-dance et la légitimité entre la vision d'un peuple et celle de ses représentantes et représentants élus sur la scène fédérale. Le Bloc Québécois affirme l'existence de la nation québécoise, exige sa reconnaissance et défend son droit de choisir librement son avenir.

Pour assurer au peuple québécois le libre exercice de ce droit, le Bloc Québécois fait en sorte qu'il soit bien compris au Canada et respecté par les institutions fédérales. La souveraineté du Québec réalisée, il n'aura plus sa raison d'être.

Un parti ouvert et démocratique

Le Bloc Québécois est un parti profondément atta-ché aux valeurs et institutions démocratiques. Il mène son action dans le respect des institutions parlemen-taires. De plus, il contribue à l'émergence de nouvelles pratiques démocratiques afin de favoriser une plus grande participation et une meilleure représentation de l'ensemble des citoyennes et des citoyens. Les partis politiques ayant une responsabilité particulière à cet égard, le Bloc Québécois favorise la participation de tous ses membres à la vie du parti. Pour ce faire, il entend œuvrer à l'information, la formation et la mobilisation de ses membres, militantes et militants souverainistes.

Sa mission

Sa mission fondamentale est la promotion et la réalisation de la souveraineté du Québec à la suite d'une décision démocratique des Québécoises et des Québécois en ce sens. Toute décision concernant la nation québécoise ne peut avoir pour centre et assise que le seul État québécois par son assemblée nationale.

Le projet souverainiste dont est porteur le Bloc Québécois est démocratique, inclusif et respectueux des droits de la minorité anglophone de même que des nations autochtones. Il est ouvert sur le monde. Il propose le plein épanouissement de la nation québécoise et se fonde sur l'existence et la promotion d'une identité nationale : une langue commune, le français ; une culture et une histoire spécifiques ; et un territoire, celui du Québec. Interlocuteur privilégié du Canada face au Québec, le Bloc Québécois explique aux Canadiennes et aux Canadiens de toutes les régions la volonté réelle du Québec de conclure, sur une base d'intérêts mutuels, une entente de partenariat économique et politique, une fois réalisée la souveraineté du Québec. Plusieurs modèles sont possibles. Bien qu'éminemment souhaitable, cette entente de partenariat ne saurait devenir un préalable à la réalisation de la souveraineté du Québec. La mondialisation et ses enjeux rendent urgent que le Québec soit directement présent dans les forums internationaux pour y faire entendre son point de vue et y développer des positions et des alliances avec d'autres pays pour promouvoir le droit des peuples à leur identité culturelle et politique ainsi que le respect des droits démocratiques, sociaux et environnementaux. D'ici la souveraineté, le Bloc Québécois a aussi pour mission de défendre les intérêts du Québec, des Québécoises et des Québécois dans toute son action parlementaire et extraparlementaire. Dans tous les dossiers qu'il défend à Ottawa, le Bloc Québécois, contrairement à tous les autres partis fédéraux, n'a qu'un seul critère fondamental : les intérêts du Québec. Pour ce faire, le Bloc Québécois travaille en concertation étroite avec tous les acteurs sociaux et économiques du Québec.

Son action

Le Parlement d'Ottawa constitue un lieu d'action privilégié du Bloc Québécois. Il permet, en plus du travail parlementaire de défense des intérêts du Québec, d'expliquer au Canada, en les situant dans leurs justes perspectives, les réalités économiques, politiques, sociales et culturelles du Québec. Le Bloc Québécois, par sa présence à Ottawa, contribue à assurer un rayonnement international au projet souverainiste québécois. Il appuie la présence institutionnelle du Québec à l'étranger, favorise sa représentation dans les forums internationaux et dénonce toute entente internationale qui porte atteinte aux intérêts du Québec. Son action ouvre la voie à la nécessaire reconnaissance internationale du Québec, en particulier devenu souverain. Il contribue à faire contrepoids à une diplomatie canadienne qui nie l'existence du peuple québécois. Le Bloc Québécois joue pleinement son rôle au cœur même du mouvement souverainiste québécois. Il contribue à la réflexion, à la promotion et à la mise en place des conditions pour réaliser la souveraineté du Québec. De plus, il entend œuvrer de façon soutenue à réunir les partenaires souverainistes de tous les horizons dans une démarche concertée menant à la souveraineté du Québec.

Discours de Monsieur Gilles Duceppe — C-20

(14 décembre 1999)

MADAME LA PRÉSIDENTE, nous vivons une journée bien triste aujourd'hui, alors que la Chambre des communes s'apprête à nier la légitimité de l'Assemblée nationale et à bafouer la démocratie au Québec.

Pour bien comprendre, il nous faut revenir à l'histoire pour en saisir les enseignements, pour identifier les acteurs d'hier et ceux d'aujourd'hui.

Le peuple québécois, qu'on appelait alors les «Canadiens», même les «Canayens» à l'époque, fut conquis par les Britanniques en 1760. Ce fut une victoire pour les uns, une défaite pour les autres.

Depuis, il n'y eut pas d'esprit revanchard au Québec, mais bien plutôt plusieurs tentatives d'en arriver à une entente entre deux peuples. Les Canadiens d'alors, puis les Canadiens français, et enfin les Québécois, ont déployé toute leur imagination et leur bonne volonté pour s'entendre avec le Canada.

Pour cela, cependant, il y a une exigence fondamentale, incontournable, c'est celle d'être reconnus pour ce que nous sommes, soit un peuple.

Cet objectif ne fut jamais atteint malgré de nombreux efforts. Tout au long de l'histoire, des démocrates se sont levés au Canada pour ouvrir leurs bras au Québec, mais leur point de vue n'a jamais triomphé, comme c'est malheureusement le cas pour plusieurs peuples. Certains Canadiens, puis Canadiens français et Québécois ont, à l'époque, offert leurs services aux conquérants, puis maintenant au reste du Canada, pour mettre le peuple du Québec à sa place, pour faire le «job» au Québec, ce que leurs maîtres ne pouvaient réaliser aussi bien qu'eux-mêmes peuvent le faire.

L'histoire est truffée d'individus pour qui les principes et la défense de leur propre peuple comptent très peu en comparaison des pouvoirs qu'on leur accorde, à la gloriole qu'ils en retirent et aux récompenses de tous ordres qui accompagnent les gestes qu'ils posent pour d'autres qui sont bien heureux de ne pas avoir à les poser eux-mêmes. C'était vrai hier, c'est encore vrai aujourd'hui.

L'histoire a vu le peuple du Québec résister, se battre pour ses droits et en obtenir même, en 1774, avec l'Acte de Québec.

L'histoire a vu ce peuple, par sa lutte de résistance, obtenir un des premiers parlements au monde en 1791, celui de Québec. Nos racines démocratiques remontent loin. Nous avons au Québec une longue tradition de démocratie.

Ce Parlement de 1791 n'avait pas vraiment de pouvoirs, comme celui du Québec moderne n'a pas tous les pouvoirs, n'est pas souverain. On niait alors les pouvoirs du peuple, comme on s'apprête à le faire ici, 200 ans plus tard.

Le peuple du Québec est tolérant et pacifique, mais il ne veut pas vivre à genoux et n'accepte pas que d'autres prennent les décisions à sa place. C'est vrai aujourd'hui, ce l'était à l'époque. Des hommes et des femmes se sont levés contre l'intransigeance britannique de cette époque. On les a appelés les Patriotes. Nos ancêtres sont pour nous une véritable inspiration.

Ils étaient résolument modernes bien avant leur temps. Précurseurs du Québec moderne, ils luttaient pour leur peuple, non pas pour une ethnie. On retrouvait parmi eux des gens comme Robert Nelson et Wilfred Nelson. Ils reconnurent les droits des autochtones. Cela prit 150 ans pour qu'un autre patriote se lève, René Lévesque, en 1985, pour reconnaître, avant toute autre province au Canada et avant le fédéral, l'existence des nations autochtones avec le droit au « *self-government* », comme cela a été inscrit dans la motion de l'Assemblée nationale, motion pas unanime, car à ce moment-là, les libéraux du Québec votèrent contre.

Les Patriotes luttaient de concert avec les Patriotes du Haut-Canada, démocrates d'alors, en lutte contre le « *family compact* » ou « la clique du château », posant là les premiers jalons d'une nécessaire collaboration entre voisins démocrates, établissant les relations d'égal à égal. C'était bien longtemps avant que les souverainistes n'en parlent. C'étaient les premiers pas de ce que nous appelons aujourd'hui un partenariat d'égal à égal.

Les Patriotes ont été écrasés, on le sait, mais leur héritage est toujours vivant. À l'époque, toutefois, on ne retint pas les leçons de cette révolte. Le pouvoir répondit avec le Rapport Durham qui disait du peuple québécois, du peuple du Bas-Canada, que c'était « un

peuple sans histoire, un peuple sans culture ». Aujour-
d'hui, 160 ans plus tard, ce gouvernement nie l'existence du peuple québécois, fait de la culture québécoise une composante régionale de la culture canadienne et tente de saper nos institutions démocratiques.

Durham jeta les bases de l'union des deux Canada,
le Canada Uni, projet d'un pays unitaire, aujourd'hui
façonné de façon bien plus subtile, pernicieuse, plus
dangereuse. Ce projet reposait sur une représentation
égale au Parlement, même si la population du Bas-
Canada était nettement supérieure à celle du Haut-
Canada. Aujourd'hui, on nous parle de l'égalité de
toutes les provinces, le Québec n'étant qu'une province comme les autres, ni plus, ni moins.

La seule langue officielle de ce Parlement, c'était
l'anglais. Aujourd'hui, Ottawa, capitale fédérale de ce
pays supposément bilingue, n'est même pas bilingue.
On veut nous donner cela en exemple. Comme l'histoire se répète !

Le Bas-Canada assumait la dette du Haut-Canada,
qui n'en avait pas. Aujourd'hui, on nous parle de la
grande générosité du fédéral qui a réglé son déficit sur
le dos des provinces, sachant bien que celui qui a
l'argent est en mesure d'imposer ses conditions. On
appelait ça du fair-play, hier comme aujourd'hui.
J'appelle cela de l'hypocrisie, hier comme aujourd'hui.

Les maîtres d'alors allèrent même jusqu'à brûler le
Parlement de Montréal. Aujourd'hui, leurs héritiers
veulent nous donner des leçons de démocratie. Eh
bien, parlons-en de démocratie.

Quand ceux qu'on appelle les Pères de la Confé-
dération signèrent le Pacte de 1867, ils refusèrent à la
population du Bas-Canada de tenir un référendum.

On se contenta du vote de quelques parlementaires, tout comme en 1982 quand on rapatria la Constitution. Les Chambres des autres provinces et la Chambre ici décidèrent et on ne consulta jamais la population du Québec.

À cette époque, commença une longue série d'attaques contre les francophones d'un océan à l'autre. On célèbre maintenant Louis Riel à la Chambre. On l'a pendu, mais on n'a jamais réglé les problèmes qui ont entraîné ce qu'a fait Riel. Les métis et les autochtones sont toujours des citoyens de seconde zone au Canada. Les francophones des autres provinces sont plus que jamais menacés d'assimilation malgré les admirables efforts qu'ils déploient partout où ils résistent à travers le Canada. Les chiffres sont là pour le prouver.

On a empêché le développement des minorités francophones par des lois au Manitoba et en Ontario, au nom de la majorité, au nom du fair-play. J'appelle cela de l'hypocrisie.

Mais les Canadiens-français qui se croyaient un peuple fondateur de ce pays n'abandonnèrent pas. Je pense, entre autres, à des gens comme Bourassa. De tout temps cependant, on demanda aux députés du Québec de mettre le Québec à sa place au nom du Canada. C'était vrai hier, c'est encore le cas aujourd'hui.

Il y a des députés du Québec siégeant dans cette Chambre pour qui la tâche ultime est de mettre le Québec à sa place. Plus on avançait, plus le Canada se développait, et plus on voyait se consolider les deux solitudes — « *the two solitudes* » — de Hugh McLennan. Pensons à l'enrôlement forcé lors de la conscription de la Première Grande guerre où l'on a même vu la milice faire feu sur la population à Québec et tuant quelques manifestants.

La majorité anglophone comptait sur son Parlement à Ottawa et sur Londres pour mettre le Québec à sa place. Ce fut vrai en 1927, avec le jugement du Conseil privé concernant le Labrador. Mais les Canadiens-français essayaient toujours, persévéraient, voulaient faire du Canada leur pays. On continua de les tromper.

On renia les promesses sur la conscription lors de la Deuxième Grande guerre. On voudrait nous faire croire aujourd'hui, en ne fixant pas le seuil d'acceptation lors d'un référendum au Québec, qu'on respectera la promesse. On a déjà vu passer le train. On centralisa de plus en plus la fédération en instaurant à Ottawa le régime d'assurance-chômage, en imposant l'impôt sur le revenu pour le temps de la guerre, uniquement pour cette période, disait-on alors.

Malgré tout, les Canadiens-français continuaient de lutter. Que nous fûmes patients! Puis survint ce fantastique réveil que fut la Révolution tranquille, alors que le Québec s'est découvert en découvrant le monde. « Maître chez nous », disait Lesage. Chez nous, c'était le Québec, cela ne pouvait plus être ailleurs que le Québec. À ce moment-là, chez nous, pour tout le peuple québécois, c'est le Québec. C'était le cas hier, c'est le cas aujourd'hui, ce sera le cas demain. « *A mari usque ad mare* », ce fut un rêve, c'est devenu une illusion. La Révolution tranquille fut le moment d'un élan irrésistible de tout le peuple québécois. De la résistance, le peuple québécois passait à l'affirmation. La culture québécoise s'épanouissait comme jamais cela ne s'était produit. Les Québécois et les Québécoises prenaient leurs affaires en main et pénétraient le monde des affaires. On nous disait que nous n'étions pas capables. On nous disait que nous n'étions pas capables de réaliser l'Hydro-Québec. C'était toujours

les autres et toujours les mêmes qui nous disaient :
« Vous êtes incapables. »

Je me rappelle ce beau slogan de 1966 qui disait :
« On est capables. » On nous disait : « Vous n'avez pas
la bosse des affaires. » Ce ne sont pas pourtant les
coups qui ont manqué. Ottawa a alors réagi en mettant
sur pied la Commission royale d'enquête sur le bilin-
guisme et le biculturalisme. En 1963, on découvrit que
les Québécois n'avaient en moyenne qu'une neuvième
année. C'était suffisant pour être des porteurs d'eau
mais pas pour être des bâtisseurs de pays.

Le Québec se mit à l'école, le Québec s'est pris en
main. On a pris le goût à la liberté, et qui goûte à ce
fruit n'est jamais rassasié.

C'est alors qu'est apparu le mouvement souverainiste dans toute sa modernité. Certains au Canada ont
réagi. Je pense à Lester B. Pearson, qui parlait de
« *nation within the nation* ». Je pense à Robert Stanfield,
qui parlait de « two nations ». Certains commençaient
à nous reconnaître pour ce que nous étions, ce que
nous sommes, un peuple, une nation.

Est alors arrivé du Québec un Canadien français
prêt à jouer ce rôle que le Canada confie à ceux des
nôtres qui sont prêts à mettre le Québec à sa place.
Pierre Elliott Trudeau dénonça sur toutes les tribunes
le nationalisme moderne du Québec. Pour lui, le
nationalisme, c'était bon pour tous les autres peuples
du monde. C'était bon pour les Canadiens, mais c'était
là une maladie honteuse pour les Québécoises et les
Québécois.

Commença alors un véritable « nation building, the
Canadian nation building » où le Québec n'a jamais eu
sa place, n'a pas sa place et n'aura jamais sa place.

Le Québec a pourtant persévéré. Nous sommes les champions de la patience. Daniel Johnson père proposa « Égalité ou indépendance ». Il ne fut pas écouté. Il fut même rabroué par Pierre Elliott Trudeau. Nous avons alors compris qu'il ne saurait y avoir d'égalité sans indépendance.

C'est ce formidable espoir, ce programme pour l'avenir qu'a proposé le Parti québécois, parti résolument moderne, résolument démocratique, porteur d'un projet d'espoir, d'un projet contemporain, moderne, inspiré de l'Europe, où nous voyons différents pays souverains s'unir dans de grands ensembles, telle l'Union européenne.

Les fédéralistes ont dénoncé ce projet, voulant faire croire hier, comme c'est le cas aujourd'hui, que l'Europe s'inspirait du Canada. Que j'aimerais voir le premier ministre se rendre à l'Assemblée nationale française et prédire aux députés et sénateurs que d'ici 15 ou 20 ans, la France ne sera plus un pays souverain.

Que j'aimerais entendre le ministre des Affaires intergouvernementales à Westminster annoncer aux Britanniques que d'ici 15 ou 20 ans, la Grande-Bretagne disparaîtra dans un grand ensemble européen, n'ayant plus ce caractère de pays souverain. Et tant qu'à y être, pourquoi pas le secrétaire d'État au Sport amateur, qui pourrait se rendre à Berlin au Bundestag annoncer la bonne nouvelle aux Allemands.

Il s'agit là d'un projet moderne que l'on propose. La réponse d'Ottawa à ce projet moderne fut de répandre la peur, tactique bien connue de ceux qui n'ont rien à offrir. Nous avons connu le coup de la Brinks, nous avons connu la Loi des mesures de guerre, où sévissait déjà l'actuel premier ministre, emprisonnant des centaines de personnes innocentes.

Il croyait tellement avoir réussi que Pierre Elliott Trudeau, en août 1976, se faisait prophète : « *Separatism is dead in Quebec.* » Trois mois plus tard, René Lévesque et le Parti québécois constituaient le premier gouvernement souverainiste de l'histoire moderne du Québec.

Le Québec connut alors un autre élan collectif. Il devint un grand chantier guidé de réalisations de démocratie, d'ouverture aux autres, d'ouverture au Canada, d'ouverture au monde. René Lévesque proposa une politique de réciprocité pour les minorités anglo-québécoises et franco-canadiennes, dont ce projet dit se préoccuper. Ce fut refusé par les provinces canadiennes.

On voit là toute l'hypocrisie de certains, comme la députée de Notre-Dame-de-Grâce—Lachine, qui affirme que les Anglo-Québécois sont victimes de discrimination au Québec. Regardons les faits. Les Anglo-Québécois disposent de tout un réseau hospitalier, tout un réseau des plus perfectionnés, alors que le seul hôpital francophone de l'Ontario ici, à Ottawa, Montfort, doit se battre sans cesse devant la Cour suprême pour exister. Aucune comparaison.

Les Anglo-Québécois ont droit à un réseau scolaire de l'élémentaire au secondaire au collégial avec trois universités, McGill, Bishop et Concordia, ils ont leurs droits et c'est bien comme ça. Regardez la situation pénible que vivent les francophones à l'extérieur du Québec. Ils ont leurs institutions sociales, leurs institutions culturelles.

Comparons cela au taux d'assimilation de 70 p. 100 en Colombie-Britannique, de plus de 60 p. 100 dans les Prairies, de 40 p. 100 en Ontario, et même de 8 p. 100 en Acadie, alors que les francophones, ces gens courageux, se tiennent là-bas, ces Acadiens qui luttent de toutes leurs forces et qui rêvent d'avoir les mêmes conditions de vie qu'ont les Anglo-Québécois au Québec.

Le gouvernement du Parti québécois proposa donc un référendum afin d'obtenir un mandat de négocier un nouveau cadre quant aux relations entre le Québec et le Canada, quant aux relations entre deux pays souverains, et quant à ce type d'association moderne que peuvent avoir deux pays souverains. C'était un projet inspiré d'Europe — je le répète —, projet porteur d'avenir. N'était-ce pas le président américain, Bill Clinton, qui, à Mont-Tremblant, donnait l'exemple de l'évolution de l'Union européenne comme celui du développement du fédéralisme dans l'avenir. En quoi, si cela est tellement prometteur d'avenir pour l'Europe, cela serait-il si néfaste au Québec et au Canada ?

Pour toute réponse, Ottawa nous servit encore la peur à ce référendum de 1980 : «Vous perdrez vos pensions de vieillesse», ne respectant d'aucune façon la loi démocratique référendaire du Québec et dépensant des sommes d'argent détenues par le fédéral, intervenant dans le cadre référendaire au Québec, sans souci de la loi, et nous faisant des promesses de changement, mettant leur tête sur le billot.

Le Québec eut peur, le Québec crut au changement encore une fois, mais la déception fut grande. Nous connûmes le rapatriement de la Constitution, suite à «la nuit des longs couteaux» où, encore une fois, le premier ministre actuel agissait. C'est une constante dans l'histoire des 40 dernières années.

On rapatria donc la Constitution, même s'il y avait un très large consensus au Québec : tous les partis de l'Assemblée nationale, pas un premier ministre québécois, qu'il fut fédéraliste ou souverainiste, de Lévesque à Ryan, chef de l'opposition, à Robert Bourassa, à Daniel Johnson fils, à Pierre-Marc Johnson, à Jacques Parizeau et à Lucien Bouchard, pas un ne signa, et Jean Charest non plus ne signerait pas cette Constitution.

Ce qu'on a fait au Québec à ce moment-là, on ne l'aurait jamais fait à l'Ontario, même pas à l'Île-du-Prince-Édouard. Et on le fit sans référendum. Cet affront, cette injustice ne fit pas en sorte que le Québec se résigne. Le Québec continua et tenta un rapprochement. Ce fut le « beau risque » qui nous mena à Meech. Encore une fois, le Québec fut isolé, et encore une fois, on vit ce premier ministre intervenir : « *Thank you, Clyde* » pour services rendus.

C'est alors que Robert Bourassa déclara : « Le Canada anglais doit comprendre d'une façon très claire que quoi qu'on dise et quoi qu'on fasse, le Québec est, aujourd'hui et pour toujours, une société distincte, libre et capable d'assumer son destin et son développement. » Il mit sur pied la Commission Bélanger-Campeau, vaste examen de consultation démocratique qui proposa un référendum sur la souveraineté s'il y avait échec du fédéralisme renouvelé.

Les Québécois ont fait cet effort de se considérer, ou bien dans le Canada, ou bien comme pays souverain, et en voir les conséquences et les avantages d'une situation ou de l'autre. Il serait peut-être temps que les Canadiens se penchent sur la même question, se posent la question sur l'existence du Canada avec le Québec, mais également l'existence du Canada sans le Québec. Qu'ils procèdent à cette réflexion, ce serait faire preuve de responsabilité.

Cependant, M. Bourassa ne faisait pas assez confiance aux Québécois et aux Québécoises, et recula. Il signa une entente non encore rédigée — parlons-en de la clarté —, une entente dont les textes juridiques n'existaient pas, qui ne fut jamais distribuée — n'eût été du parti d'opposition — aux citoyens et aux citoyennes. C'était une entente qui consacra les deux solitudes dans toute leur plénitude. Deux «non» allaient surgir, pour des raisons différentes : trop peu pour l'un, le Québec, et déjà beaucoup trop pour l'autre, le Canada.

Un nouveau gouvernement fut élu à Québec, un gouvernement souverainiste, qui proposa une deuxième fois le projet souverainiste aux Québécois et Québécoises assorti d'un nouveau partenariat.

La question était claire. Nulle part dans l'avis de la Cour suprême ne voit-on que cette question n'était pas claire. Nulle part n'exclut-on une offre de partenariat avec des instances à vocation fédérale ou confédérale. On ne trouve cela nulle part dans ce jugement.

Pour Ottawa, le seul fédéralisme sur terre, c'est celui qui existe au Canada. La seule forme de relations, de collaboration entre les peuples, ce serait le Canada. Pour Ottawa, le monde n'existe pas.

Durant cette campagne référendaire, le premier ministre nous avait prédit alors — je m'en souviens —, dans ses mots éloquents, qu'on en mangerait toute une et qu'on aurait moins de 40 % des votes. On connaît les résultats. Même après le *love-in* tenu dans l'irrespect total de la Loi référendaire québécoise, on est venus nous dire qu'on nous aimait, qu'on nous aimait dociles, qu'on nous aimait consentants, qu'on nous aimait à genoux et qu'on nous aimait libéraux. Par la suite, ce furent encore des promesses.

La motion sur la société distincte en fut une vide de sens. On nous disait : «Cette motion inspirera l'ensemble des lois adoptées par cette Chambre.» Je prends un exemple, soit la Loi sur les jeunes contrevenants. Tous les partis politiques à Québec, par une volonté unanime de l'Assemblée nationale, les avocats, les juges, les travailleurs sociaux et même les policiers disent: «On n'en veut pas de cette loi. Laissez fonctionner le Québec puisque ça va bien, on a les meilleurs résultats dans ce domaine.» En quoi est intervenue la motion sur la société distincte pour reconnaître cela? Elle n'est absolument pas intervenue. C'était vide de sens. On le savait et on en a la preuve une fois de plus.

On accorda également un supposé droit de veto à toutes les régions, qui nous mène à l'immobilisme total, comme ce fut le cas avec l'Accord du lac Meech, où non seulement une province ou un territoire pouvait bloquer la volonté du Québec mais encore un seul individu pouvait la bloquer et a pu la bloquer. Pour couronner le tout, on nous a offert l'union sociale. Il y a eu encore deux consensus: un résolument pour, à la grandeur du Canada et un résolument contre, au Québec. Les députés libéraux siégeant dans cette Chambre, qui sont minoritaires, faut-il le rappeler, se sont encore une fois rangés du côté du consensus canadien en ignorant le consensus québécois.

Ce rapetissement du Québec, c'est l'obsession de ce premier ministre. Inspiré par sa muse, le ministre des Affaires intergouvernementales, il s'attaque maintenant au pouvoir de l'Assemblée nationale. On voudrait imposer les termes de la question à l'Assemblée nationale. Pourtant, le ministre des Affaires intergouvernementales disait en 1994 que les mots *sécession*, *séparation*, *souveraineté* et *indépendance* voulaient tous dire la même chose.

Ce n'est plus le cas aujourd'hui, semble-t-il. J'imagine qu'il a donc changé d'idée. Il nous dit également que les Québécois et les Québécoises ne seraient pas assez intelligents pour déterminer si une question est claire. Il faudrait se fier aux gens de Vancouver, de Moose Jaw, d'Halifax, de Toronto, de Régina, parce qu'eux comprennent la clarté.

Il nous dit que les élus de l'Assemblée nationale sont incapables de clarté tout comme ceux de la Chambre des communes représentant le Québec, soit les 44 députés du Bloc à Ottawa et les quatre députés du Parti progressiste-conservateur qui ne sont pas d'accord avec le projet de loi. Les députés libéraux québécois sont en minorité, mais nous, nous ne comprendrions pas. Les 26 députés libéraux du Québec ont la lumière. Ce n'est que mépris et suffisance.

Ce même projet de loi remet en question la règle du 50 % plus un. Parlons donc de Terre-Neuve. Pourquoi Terre-Neuve? C'est parce qu'il y a eu deux référendums. Pourquoi le 50 % plus un s'est-il appliqué pour les Terre-neuviens? Pourquoi le Québec ne fut jamais consulté sur l'entrée de Terre-Neuve dans la fédération canadienne en 1949? Pourquoi deux poids, deux mesures? Pourquoi le gouvernement n'a-t-il pas fixé de chiffres, de règles, de pourcentage et de seuil dans sa loi? Sûrement parce qu'il craignait d'être contesté au niveau international ou devant les cours.

Mais s'il était hasardeux de fixer un pourcentage avant, en quoi cela n'est-il pas hasardeux de le déterminer une fois la joute terminée? Comment Ottawa peut-il se faire juge et partie? Quelles sont ces conditions pertinentes quant à l'évaluation du pourcentage? C'est encore Ottawa qui déterminera tout cela.

Le gouvernement fédéral, ce Parti libéral, serait-il porteur, par essence, de la vérité et de toute la vérité ? En soulevant la question de la partition dans ce projet de loi, le gouvernement ne renie-t-il pas ses prises de position quant au maintien des frontières des nouveaux pays, tels les pays Baltes, l'Ukraine, les Républiques fédérées de l'ex-Yougoslavie ? Comment peut-on avoir une position au niveau international et à l'extérieur et une autre, ici même, pour le Québec ?

Eux qui parlent tellement de consensus et de clarté, ne se rendent-ils pas compte qu'il y a un grand consensus au Québec, de la société civile, de tous les partis siégeant à l'Assemblée nationale du Québec, même les fédéralistes, de la très grande majorité des députés du Québec siégeant ici en cette Chambre avec des mandats démocratiques, du Parti progressiste-conservateur, j'imagine et j'espère du NPD, qui a reconnu le droit du Québec à l'autodétermination, souhaitons qu'il y ait conséquence ? Voilà le camp de la démocratie, voilà le camp qu'ignore ce gouvernement.

Et qui retrouvons-nous l'autre côté, aux côtés des libéraux du premier ministre ? Le Parti réformiste qui est très présent au Québec, on le sait, qui a une connaissance profonde des Québécois et des Québécoises, Guy Bertrand, Bill Johnson, Keith Anderson, Howard Galganov. C'est cela, le consensus libéral québécois, c'est cela leur beau consensus ?

Pourquoi en sommes-nous là ? Parce que l'appui à la souveraineté est passé de 8 % dans les années 1960 à 49,6 % en 1995. En 35 ans de carrière, le premier ministre aura vu la souveraineté progresser comme jamais depuis le début de l'histoire. Devant cette montée irrésistible, devant l'impossibilité de proposer quoi que ce soit au Québec, vaut mieux, pense-t-il, les empêcher de décider.

Mais rien ne peut empêcher la volonté populaire, rien ne peut résister à la volonté du peuple. Le peuple du Québec ne pliera pas devant Ottawa et restera maître de son destin. Et un jour, nous verrons deux peuples qui se respectent, qui s'estiment après tout, et qui ne s'empêcheront pas d'évoluer dans le sens qu'ils le veulent respectivement.

Je propose:

Que tous les mots suivant le mot « que » soient retranchés et remplacés par ce qui suit:

> « Cette Chambre refuse de donner la deuxième lecture au projet de loi C-20, loi donnant effet à l'exigence de clarté formulée par la Cour suprême du Canada dans son avis sur le Renvoi sur la sécession du Québec, puisqu'il contrevient au droit inaliénable du peuple du Québec de décider librement de son avenir. »

Que le Canada se le dise: un jour, le Québec sera un pays souverain.

Chantiers de réflexion
du Bloc Québécois

Coordination politique

Coordonnateur : Pierre Paquette

Chantier de réflexion sur la mondialisation

Président : Jacques Parizeau
Vice-président : Yvan Loubier

Chantier de réflexion sur la citoyenneté et la démocratie

Co-présidents : Dominique Ollivier
Pierre Paquette

Chantier de réflexion sur le partenariat

Co-présidents : Micheline Labelle
Michel Seymour

Chantier de réflexion sur la défense des intérêts du Québec

Co-présidents : Daniel-Mercier Gouin
Vilaysoun Loungnarath

Chantier sur la démocratie

POUR ASSURER l'avancement des travaux, le chantier est composé de tables de travail présidées par des personnalités et composées de députés, de militantes et militants et de personnes ressources.

En ce moment, cinq tables de travail, auxquelles pourraient s'ajouter des comités «*ad hoc*», sont en place :

1. L'enjeu de la démocratisation et le «modèle québécois» : le rôle de l'État et de la société civile, la place des régions, la démocratisation des institutions et réseaux publics, l'inclusion économique et sociale comme condition à l'inclusion politique, la démocratie de représentation et la démocratie de participation.
2. Mondialisation et démocratie : la démocratie et la citoyenneté dans le processus de mondialisation, le rôle de la société civile et des parlementaires, les droits démocratiques, sociaux et environnementaux à l'échelle internationale et au niveau du Québec, souveraineté des États et les organisations supranationales, le pouvoir financier des citoyennes et des citoyens.

3. Institutions démocratiques et diversité du Québec moderne : comment faire en sorte que l'ensemble des institutions démocratiques et des structures des partis politiques reflète la diversité de la société québécoise : femmes, jeunes, communautés culturelles, régions, ruralité, autochtones... Quels types d'institution permettent le mieux d'assurer cette diversité et l'emprise des citoyennes et des citoyens sur le processus politique (capacités d'initiative, création de lieux et de temps de débats, évaluations des résultats).

4. L'avenir du Québec face au déficit démocratique du fédéralisme canadien : la souveraineté comme condition à la démocratisation de la société québécoise, les démarches vers la souveraineté, le rapport de forces du Québec.

5. Constitution du Québec : mettre en œuvre la proposition adoptée par le Congrès du Bloc Québécois : «Pour préparer l'avenir, le Bloc Québécois s'engage à mettre en place un comité de réflexion et d'action stratégique sur la Constitution, composé d'un nombre égal d'hommes et de femmes, formé de parlementaires et de non-parlementaires et comprenant des Québécois d'origines et de milieux divers en vue de réfléchir sur les orientations fondamentales et le contenu général d'une future Constitution d'un Québec souverain. Une telle Constitution devrait notamment favoriser une démocratie participative élargie et une démocratie représentative renforcée pour le Québec.» La table de travail réfléchira aussi sur la redéfinition du rôle des élues et élus, des partis politiques, des institutions parlementaires et du mode de scrutin.

Fonctionnement

Ces présidences composeront avec le vice-président du parti et le président de la Commission de la citoyenneté le comité de coordination. Ce comité s'assurera de la bonne marche des travaux, suggérera au parti des moyens pour élargir le débat au sein du parti et de la société québécoise et déposera un rapport final six mois avant le prochain congrès.

Rappelons que les réflexions du comité de coordination et des tables de travail resteront la responsabilité de leurs membres et n'engageront le Bloc Québécois que lorsque ses instances en auront disposé.

Composition du Chantier

Coordonateurs :

Vice-président :	Pierre Paquette
Commission de la citoyenneté :	Michel Seymour

Co-présidences des tables de travail :

Modèle québécois :	Joseph Giguère Louise Houde
Mondialisation :	Kevin Callahan François Rebello
Diversité québécoise :	Bernard Cleary Nathalie Saint-Pierre
Déficit démocratique du fédéralisme :	Philippe-Robert de Massy Pierre Paquette

Constitution du Québec :   Gilles Labelle
                             Hélène Laperrière

Député(e)s :

Modèle québécois :   Francine Lalonde
Mondialisation :   Stéphan Tremblay
Diversité québécoise :   Caroline St-Hilaire
Déficit démocratique
    du fédéralisme :   Réal Ménard
Constitution du Québec : Daniel Turp

Membres de la Commission
de la citoyenneté

Modèle québécois :   Jacques Fournier
Mondialisation :   Jean-François Thuot
Diversité québécoise :   Dominique Ollivier
      Marcella Valdivia

Déficit démocratique
  du fédéralisme :   Philippe Ordonnes-Jacob
      Bernard Larouche
Constitution du Québec : Micheline Labelle
      Henri Laberge
      Annie Bonneau

Recherche

Directeur du Service
  de la recherche :   Denis Marion

Coordination technique

Conseiller politique :   Pierre Guillot-Hurtubise

21 juin 2000

Les députés du Bloc Québécois

(Noms et champs de compétences)   (comté)

ALARIE, HÉLÈNE
Agriculture et agroalimentaire   Louis-Hébert

ASSELIN, GÉRARD
Garde côtière, privatisation des sports
et adjoint aux Transports   Charlevoix

BACHAND, CLAUDE
Affaires autochtones et Développement
du Grand Nord   Saint-Jean

BELLEHUMEUR, MICHEL
Justice et Procureur général
du Canada   Berthier-Montcalm

BERGERON, STÉPHANE
Whip en chef
Procédures et affaires
de la Chambre   Verchères–Les-Patriotes

BERNIER, YVAN
Pêches et Océans
          Bonaventure–Gaspé–Îles-de-la-Madeleine–Pabok

BIGRAS, BERNARD
Président du caucus
Citoyenneté et immigration, Communautés culturelles,
Région de Montréal   Rosemont–Petite-Patrie

BRIEN, PIERRE
Industrie   Témiscamingue

CANUEL, RENÉ
Forêts   Matapédia–Matane

CARDIN, SERGE
Ressources naturelles   Sherbrooke

CHRÉTIEN, JEAN-GUY
Amiante   Frontenac–Mégantic

CRÊTE, PAUL
Développement des ressources humaines
    Kamouraska–Rivière-du-Loup–Témiscouata–Les Basques

DALPHOND-GUIRAL, MADELEINE
Whip adjointe
Droit de la personne et des personnes handicapées
                                           Laval-Centre

DE SAVOYE, PIERRE
Patrimoine   Portneuf

DEBIEN, MAUD
Affaires étrangères :
Afrique, Amérique Latine, Asie et Pacifique   Laval-Est

DESROCHERS, ODINA
Vice-président du caucus
Agence de développement économique
du Canada pour les régions du Québec
                                      Lotbinière–L'Érable

DUBÉ, ANTOINE
Chantiers maritimes   Lévis-et-Chutes-de-la-Chaudière

DUCEPPE, GILLES
Chef du Bloc Québécois   Laurier–Sainte-Marie

DUMAS, MAURICE
Troisième âge   Argenteuil–Papineau–Mirabel

FOURNIER, GHISLAIN
Mines   Manicouagan

GAGNON, CHRISTIANE
Pauvreté, Petite enfance, Famille, Logement social
Région de la capitale nationale   Québec

GAUTHIER, MICHEL
Leader parlementaire   Roberval

GIRARD-BUJOLD, JOCELYNE
Environnement   Jonquière

Godin, Maurice   Châteauguay

GUAY, MONIQUE
Travail   Laurentides

GUIMOND, MICHEL
Transports
     Beauport–Montmorency–Côte-de-Beaupré–Île-d'Orléans

LALONDE, FRANCINE
Affaires étrangères   Mercier

LAURIN, RENÉ
Défense nationale   Joliette

LEBEL, GHISLAIN
Travaux publics et services gouvernementaux, Postes
                                   Chambly

LOUBIER, YVAN
Finances   Saint-Hyacinthe–Bagot

MARCEAU, RICHARD
Commerce international   Charlesbourg–Jacques-Cartier

MARCHAND, JEAN-PAUL   Québec-Est

MÉNARD, RÉAL
Santé   Hochelaga–Maisonneuve

MERCIER, PAUL
Anciens combattants   Terrebonne–Blainville

PERRON, GILLES
Revenu national

Rivière-des-Mille-Îles

PICARD, PAULINE
Porte parole adjointe, Finances

Drummond

PLAMONDON, LOUIS
Langues officielles,
Francophones hors Québec
et Bibliothèque du Parlement

Bas-Richelieu–Nicolet–Bécancour

ROCHELEAU, YVES
Coopération internationale (ACDI)
et Francophonie

Trois-Rivières

SAINT-HILAIRE, CAROLINE
Condition féminine,
Sport amateur et Équité salariale

Longueuil

SAUVAGEAU, BENOÎT
Conseil du Trésor, Infrastructure
et Compte publics

Repentigny

TREMBLAY, STÉPHAN
Enfance et jeunesse, Mondialisation

Lac-Saint-Jean–Saguenay

TREMBLAY, SUZANNE
Leader adjointe

Rimouski–Neigette-et-La Mitis

TURP, DANIEL
Conseil privé et Affaires intergouvernementales

Beauharnois–Salaberry

VENNE, PIERRETTE
Solliciteur général et Réglementation

Saint-Bruno–Saint-Hubert

Table

Annexes